Como Desenhar Anime e Man

O seu guia passo-a-passo completo com mais de 400 ilustrações sobre como desenhar personagens de anime e manga espectaculares a partir do zero (adequado para crianças, adolescentes e adultos)

Cândido Eugénio

ÍNDICE DE CONTEÚDO

Introdução

O termo manga é um termo japonês que, traduzido literalmente, significa imagem de escárnio. No Japão, manga é a expressão de todos os desenhos feitos sob a forma de banda desenhada.

A primeira pessoa a inserir o termo manga para falar da sua produção artística foi o famoso artista Hokusai, que viveu entre 1760 e 1849.

A manga tem sido um dos sectores mais importantes da indústria editorial japonesa desde a década de 1950.

As bandas desenhadas de manga atualmente disponíveis no mercado abrangem uma vasta gama de géneros e personagens. Há histórias de aventura, ficção histórica, comédias românticas, comédias, histórias de ficção científica, histórias de fantasia, histórias de detectives e histórias de terror.

A manga é frequentemente criada e impressa a preto e branco; no entanto, também existe manga a cores.

A indústria da manga é um sector em constante evolução. Ao longo do tempo, surgiram várias técnicas e estilos para tornar as histórias e as personagens mais agradáveis e interessantes para os leitores.

Quando comparado com outros tipos de banda desenhada, o estilo manga tem características distintas. De facto, as personagens de manga são reconhecíveis por traços físicos peculiares, como olhos demasiado grandes ou cabelos e penteados muito extravagantes, ou pelo estilo narrativo que está muito mais atento à expressividade das personagens.

Se quiser seguir este caminho, como em todas as formas de arte, para aprender a desenhar manga profissionalmente, deve primeiro aprender o básico. Só depois de aprender as bases e de praticar muito é que se pode tornar um verdadeiro especialista em ilustrações de estilo manga.

Neste guia, encontrará instruções passo a passo sobre como desenhar uma personagem de manga, desde o básico até às técnicas mais avançadas utilizadas para criar uma personagem totalmente realizada. Além disso, mostrar-lhe-ei vários exemplos de como representar expressões faciais e desenhar uma personagem masculina e feminina completa.

Materiais necessários para desenhar personagens de Manga

Para desenhar bem uma personagem de manga, não precisa de muitos materiais caros que estão fora do alcance da maioria das pessoas. No entanto, é preciso ter as ferramentas necessárias para dar os primeiros passos.

Os itens listados abaixo são aqueles que você definitivamente deve ter.

Papel. O que precisa, antes de mais, é de papel. Não conseguirás criar personagens se não tiveres papel para desenhar. No entanto, as folhas de papel a utilizar não são as habituais dos cadernos, que podem conter linhas ou quadrados. O papel que vais utilizar deve ser completamente branco. Precisarás de folhas em branco tanto para os primeiros esboços como para o desenho final.

Aconselho-o a utilizar papel de desenho branco e a evitar o papel de impressora, uma vez que este tipo de papel, no que diz respeito ao desenho, acaba por ser de muito má qualidade.

Se quiser terminar o seu desenho com cor ou tinta, escolha o papel destinado a esta arte. Evite o papel demasiado fino, liso ou não poroso, pois não absorverá a cor ou a tinta e manchará e danificará o seu desenho.

Lápis. A próxima ferramenta de que necessita é, obviamente, um lápis. Em geral, são necessários dois tipos de lápis. Um para esboçar e desenhar e o outro para terminar o seu desenho. Para o esboço, utilize um lápis tipo H, porque este tipo de lápis tem uma mina mais dura e, por conseguinte, deixa uma marca mais clara no papel, que será fácil de apagar.

No entanto, para o desenho propriamente dito, devem ser utilizados lápis do tipo B.

Quanto ao sombreado e à hachura, recomendo um lápis do tipo B2.

Borracha. Também precisas de uma borracha. A borracha não serve apenas para apagar erros, mas é uma ferramenta indispensável, especialmente quando se pretende desfocar e sombrear a personagem.

Por esta razão, é preciso ter muito cuidado com as borrachas que se utilizam para desenhar manga, mantendo-as sempre limpas.

Lapiseira de embraiagem. A lapiseira é muito útil, especialmente para traçar os contornos das personagens ou fazer pequenos desenhos.

Se precisar de traçar traços muito pequenos, proponho uma mina de 0,3 mm. Para traços mais grossos e definidos, utilize uma mina com um diâmetro de 2 mm. Uma mina de 0,5 mm de diâmetro é geralmente ideal para traçar as linhas directrizes.

Tinta da China. Esta forma de arte distingue-se pela utilização da tinta como principal meio. No mercado, existem numerosos tipos e marcas de tinta. Pode desenhar a sua manga com tinta utilizando um pincel ou o bico certo.

Bicos. Os bicos utilizados para desenhar manga são diferentes dos que se encontram normalmente nas papelarias, porque os bicos de manga tendem a alterar o traço com uma ligeira pressão do dedo.

Capítulo 1: Os passos essenciais para desenhar uma personagem de Manga

Quer queira começar a desenhar manga por prazer pessoal ou para um projeto comercial como uma banda desenhada, o primeiro passo é desenhar e planear o protagonista da sua história.

Mesmo que se sinta muito à vontade a desenhar e tenha excelentes capacidades de desenho, desenhar eficazmente uma personagem que mais tarde irá desenhar vezes sem conta pode ser um desafio. Eis alguns factores-chave a considerar ao criar a sua personagem manga.

Decida antecipadamente o design da sua personagem

Desenhar uma personagem de manga é diferente de fazer um esboço que depois se guarda no caderno de esboços. Numa manga, uma personagem terá provavelmente de ser desenhada muitas vezes de vários pontos de vista e ângulos diferentes. Num esboço feito por puro prazer, só tem de se preocupar com o aspeto que o seu objeto terá desse ponto de vista e para esse desenho específico.

No que diz respeito ao design da sua personagem, há dois aspectos básicos a ter em conta:

1. Uma personagem de manga deve ter um desenho essencialmente simples porque pode tornar-se demasiado moroso, especialmente em termos de tempo, desenhar várias vezes uma personagem demasiado complexa.
2. Deve ter em conta o aspeto da sua personagem de todos os pontos de vista e ângulos. Provavelmente, terá de a desenhar de vários pontos de vista e várias vezes.

Escolha antecipadamente o perfil da sua personagem

Decida a sua personagem com antecedência, ou seja, antes de começar a desenhar, e determine os mais pequenos detalhes necessários para transmitir corretamente a sua mensagem ao observador. Se quiser desenhar um ser humano ou, pelo menos, um ser com características humanas, deve ter em mente algumas informações fundamentais sobre a sua personagem, como a idade, se é um estudante ou um trabalhador, a personalidade, etc.

Além disso, seria muito útil para a conceção de personagens de aspeto humano se conhecesses pelo menos as noções básicas de anatomia humana para compreenderes onde dispor corretamente as várias partes anatómicas da tua personagem.

Uma vez decididas as principais características da sua personagem, pode basear o seu design nelas .

Faça esboços das suas personagens

Faça alguns esboços das suas ideias sobre a sua personagem.

Os esboços podem ser feitos de qualquer ângulo ou pose; cabe-lhe a si escolher o que quer desenhar. Faça pelo menos um esboço de todo o corpo e alguns esboços em grande plano dos rostos. Se quiser retratar a sua personagem como sendo enorme ou particularmente pequena, pode usar uma pessoa de tamanho médio como padrão e desenhá-la ao lado desta personagem para ter uma ideia mais clara do seu tamanho.

Quando começar a desenhar a sua personagem, utilize o mínimo de pormenores possível. Não dificulte as coisas para si, especialmente no início do seu esboço. Pode sempre acrescentar mais detalhes à sua personagem mais tarde, se achar que está demasiado simples. Quando acabares de fazer os teus esboços, escolhe os desenhos que mais gostas e combina-os para criar a tua personagem.

Desenvolver o design da personagem

Desenhe a sua personagem de frente, de ambos os lados e de trás; isso ajudá-lo-á a descobrir mais sobre ela. Também podes acrescentar mais vistas se achares que é importante. O principal objetivo destes desenhos preliminares é ter uma imagem completa da personagem. Estes desenhos podem ser usados mais tarde como referência para desenhar a mesma personagem.

Escolha se quer deixar a sua personagem a preto e branco ou se é melhor utilizar cores

Geralmente, a manga é uma banda desenhada com personagens a preto e branco, embora, por exemplo, as capas possam ser frequentemente coloridas.

Mesmo que tenha optado por cores específicas para a sua personagem, há uma coisa que deve ter em mente: algumas cores funcionam melhor em conjunto e tornam a sua manga mais lisonjeira. Estas são tipicamente cores complementares ou cores em lados opostos da roda de cores. Além disso, as cores não têm de coincidir exatamente com as do círculo cromático; pode também utilizar diferentes tonalidades da mesma cor. Da mesma forma, é necessário escolher cores que combinem com a vibração que pretende para a sua personagem. As cores que escolheres usar podem simbolizar sentimentos. De um modo geral, o azul é uma cor fria e o vermelho é uma cor quente. Consequentemente, se quiser criar uma imagem para uma personagem de fantasia que faz magia no gelo, é provável que evite a cor vermelha e todos os seus tons.

Desenhar as personagens de modo a que sejam coerentes com a história que está a contar

Desenhe sempre as personagens de acordo com a história que está a contar. Muitos mangás têm personagens de aspeto bastante genérico que se adaptariam a qualquer história.

Recomendo que estabeleça um equilíbrio entre originalidade e coerência na sua história.

Plagiar histórias e personagens de outros artistas não é sensato nem ético. E com isto quero dizer duplicar a maior parte do desenho ou da história, acrescentando pequenas alterações. É aceitável inspirar-se no trabalho de outros, mas lembre-se de que só pode levar adiante as suas ideias originais.

Depois de discutirmos os fundamentos da arte manga em traços gerais, vamos mergulhar nas especificidades da criação de uma personagem manga.

Capítulo 2: Como desenhar a cabeça de um personagem de manga

Desenhar a cabeça de um personagem de manga é um desafio, mas é uma habilidade essencial para qualquer artista de manga dominar.

Uma vez que a cabeça é uma estrutura tão complexa, há uma tonelada de pequenos métodos e truques que farão com que todo o processo decorra muito mais suavemente.

O seu trabalho pode ser simplificado dividindo o crânio em secções correspondentes a formas geométricas básicas. A parte superior da cabeça é circular, enquanto a parte inferior é triangular; estas duas formas básicas constituem a cabeça. Utilizando estas duas formas básicas, pode estabelecer a base para desenhar uma cabeça de qualquer ângulo ou ponto de vista.

Pode então desenhar a cabeça de diferentes pontos de vista. Uma vista de 3/4 é quando a cabeça está ligeiramente virada para o lado. A vista de perfil é quando a cabeça está completamente virada para o lado. 1/4 de vista é quando temos uma ligeira visão do rosto, talvez uma pequena sugestão dos olhos e um pouco atrás da orelha. E depois há a vista da parte de trás da cabeça.

A cabeça também pode estar inclinada para cima ou para baixo. Se a cabeça estiver virada para baixo ou se a pessoa estiver a olhar para baixo, o rosto parecerá mais curto. A boca é indicada por uma linha fina. As sobrancelhas são arqueadas, os olhos aproximam-se um pouco mais e a parte superior do nariz assemelha-se a um pequeno ponto.

Ao desenhar uma cabeça olhando para baixo, lembre-se de que a linha de bissecção do rosto se curva para baixo.

Quando se olha para cima, vê-se a parte inferior do queixo e o nariz. A linha de bissecção desta cabeça curvar-se-á para cima em vez de para baixo. Os olhos aparecerão mais perto das sobrancelhas e a boca, mesmo que esteja aberta, parecerá pequena devido à forma como a olhamos.

Vamos ao que interessa e começar a parte prática.

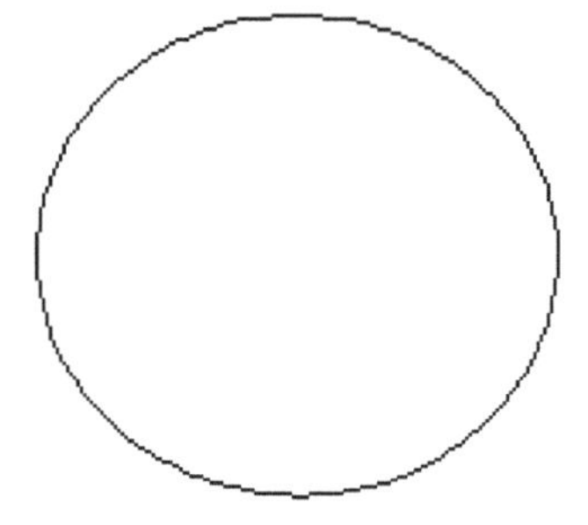

Comece por desenhar a forma básica, representada por um círculo. Desenhe o círculo no centro do papel. Desta forma, terá espaço suficiente para acrescentar os traços do rosto e o resto do corpo mais tarde.

Se fores um profissional, já podes utilizar uma caneta ou tinta da china para fazeres o teu desenho. Mas, por muito bom que seja, recomendo que desenhe com um lápis para poder apagar os erros. Quando desenhar o círculo que representa a caveira, lembre-se de que deve ser dividido em quadrantes e, em seguida, adicione uma série de linhas de orientação à volta da sua superfície em cada eixo. Estes princípios ajudam a definir a forma e a estabelecer a posição da cabeça, o ângulo a partir do qual estamos a olhar para ela e a direção para a qual a personagem está a olhar.

Neste ponto, desenhe a primeira linha de orientação, que divide o círculo em duas partes, central e horizontalmente. Esta linha de orientação ajudá-lo-á a identificar a posição correcta dos olhos da sua personagem.

De seguida, desenhe outra linha, desta vez na vertical, dividindo o círculo ao meio.

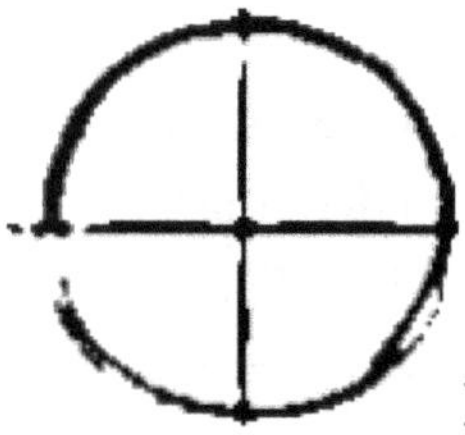

Desenhe uma segunda linha horizontal na parte inferior do círculo para servir de linha de orientação quando acrescentar o nariz.

Desenhe uma terceira linha horizontal, um pouco mais curta do que as anteriores, e coloque-a a alguns centímetros de distância da linha de orientação que desenhou para o nariz. Esta linha servirá de linha de orientação para quando for desenhar o queixo.

Se decidir que a sua personagem será uma rapariga, coloque esta marca um pouco mais acima, uma vez que as personagens femininas de manga tendem a ter rostos mais redondos do que as personagens masculinas.

Desenhe duas linhas laterais que se ligam no centro da linha do queixo. Comece no lado direito e na parte maior do círculo e vá contornando até chegar ao fim da linha que desenhou para o queixo.

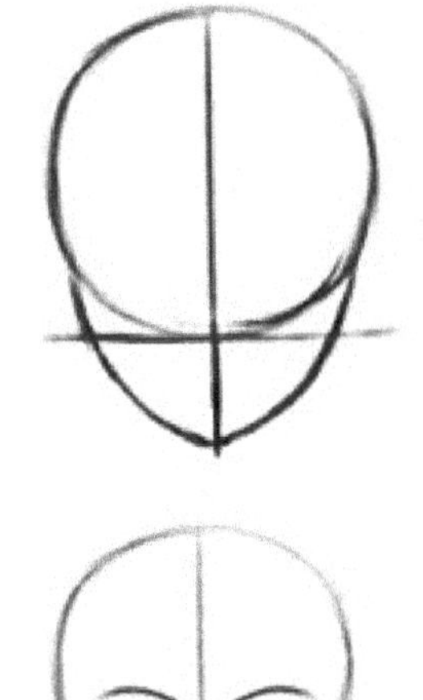

Como desenhar uma cabeça na vista ¾

Para a vista ¾, a primeira coisa a fazer é desenhar um círculo.

As linhas de orientação serão colocadas na direção em que a sua personagem estará a olhar. A diferença entre esta vista e a vista frontal reside apenas na escolha da posição das linhas de orientação. Além disso, as linhas de orientação devem ser ligeiramente curvadas porque a cabeça é redonda.

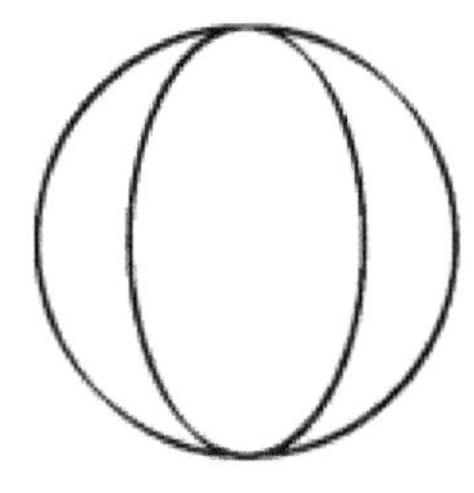

Agora é altura de desenhar a linha do queixo. Estique a diagonal, indicando a ponta do queixo, até ao ponto em que achar mais adequado ou de acordo com a sua preferência, tendo sempre em mente a personagem que pretende criar.

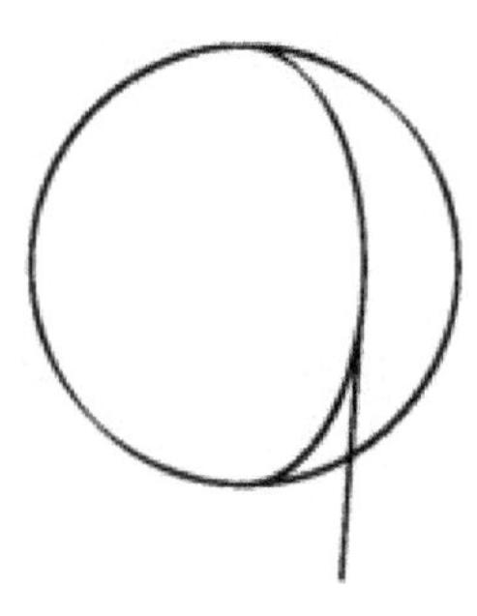

Lembre-se que o maxilar e a mandíbula devem ser mais estreitos do lado para onde a cabeça se vira. Assim, se o olhar for para a esquerda, o lado direito deve ser mais estreito.

Depois, para moldar a bochecha, basta desenhar uma linha com uma ligeira curva.

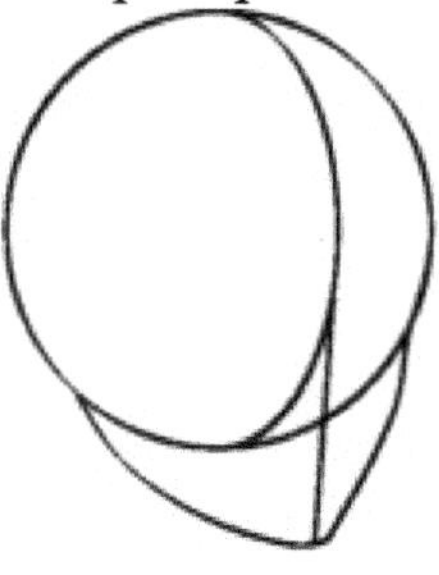

Como desenhar a cabeça na vista de perfil ou na vista lateral

Depois de termos explicado como desenhar a vista frontal e a vista ¾, podemos agora desenhar a vista lateral.

Esta vista da cabeça é um pouco mais complicada do que as outras; por isso, é necessário prestar mais atenção e praticar mais vezes antes de obter resultados perfeitos.

Comece por desenhar um círculo, como habitualmente, para representar o topo da cabeça.

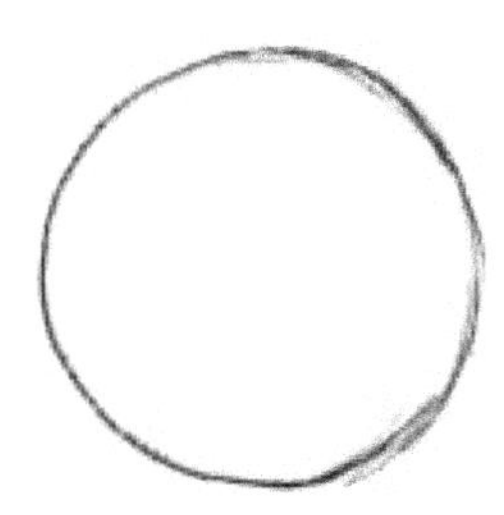

Agora desenha uma linha horizontal através do centro do círculo. Ao fazer isto, obterá duas metades do círculo. Corte novamente a metade inferior do círculo na horizontal e desenhe uma linha horizontal sobre a metade inferior do círculo.

Depois, desenhe uma linha ao longo do centro do círculo na vertical, tanto em cima como em baixo. De seguida, desenhe uma linha diagonal do lado esquerdo da linha horizontal central até ao lado esquerdo da segunda linha horizontal.

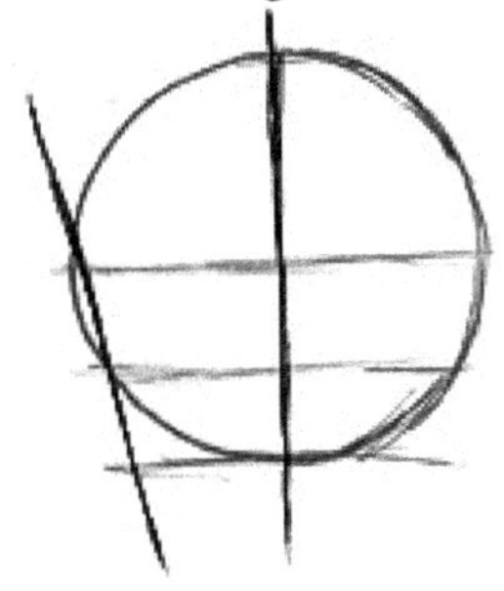

Acrescentar a orelha entre um círculo e o outro. Como é óbvio, não é necessário desenhar as duas orelhas neste caso.

Agora, desenha o maxilar e a linha do maxilar. Quanto à linha do maxilar, deve ir até à orelha e ser mais comprida do que a linha que desenha no lado oposto.

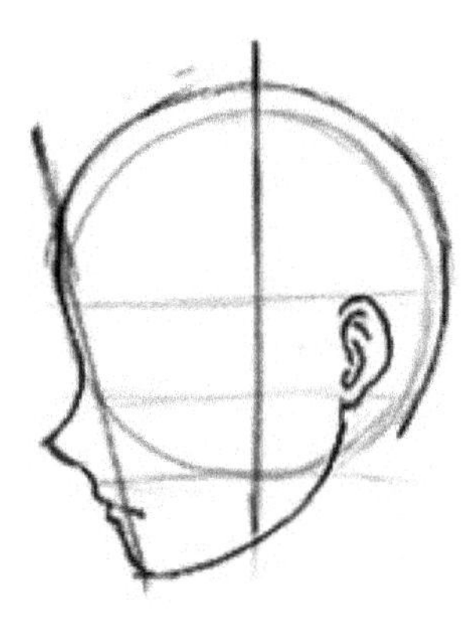

Pode adicionar o pescoço agora e apagar as linhas de orientação. Desenhe a parte da frente do pescoço ligeiramente inclinada para o interior do corpo. Quanto à parte de trás, comece a desenhá-la a partir da base do crânio, que se situa mesmo atrás da orelha, e depois desça em ângulo, desenhando uma ligeira curva mesmo na base do pescoço.

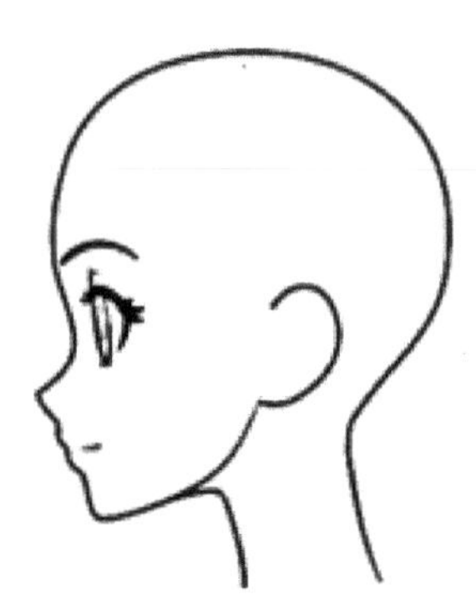

Capítulo 3: Como desenhar as orelhas de um personagem de manga

As orelhas de manga variam de acordo com os diferentes estilos, desde as formas mais realistas às mais simplificadas, embora, na realidade, não exista uma forma definitiva ou inequívoca de as desenhar. Neste capítulo, aprenderá passo a passo a desenhar orelhas de manga nas vistas lateral, frontal e traseira. Vou mostrar-lhe como desenhar as orelhas corretamente na cabeça.

Devido à sua forma irregular, é difícil ter directrizes claras para desenhar orelhas em geral. No entanto, é boa ideia olhar para vários exemplos ou imagens de orelhas, especialmente se quiser um estilo mais realista. Além disso, vale a pena notar que, ao desenhar a orelha de lado, pode ser útil pensar nela como uma oval ou um ovo inclinado para um lado.

Normalmente, desenhamos as orelhas de manga mais baixas do que as orelhas reais. Desenhar uma linha horizontal através do centro da cabeça e depois outra linha horizontal entre essa linha e o queixo é um método para posicionar as orelhas na cabeça. Depois, entre estas duas linhas, desenhe as orelhas.

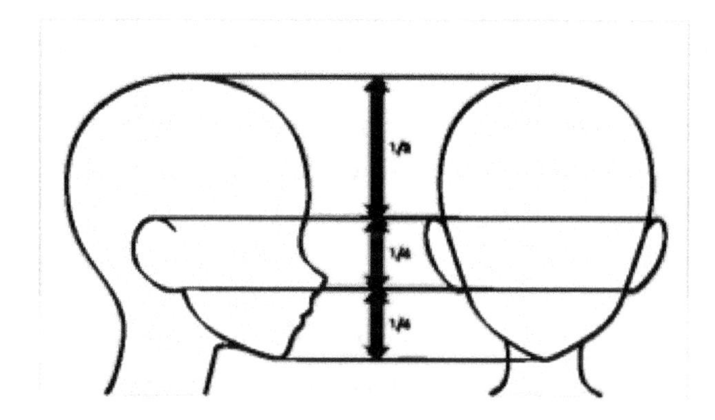

Desenhe uma linha no centro da cabeça e, em seguida, desenhe a orelha ao lado dessa linha para obter um alinhamento vertical.

Pode desenhar orelhas mais pequenas movendo-as ligeiramente para baixo da linha superior.

Para o alinhamento horizontal, em vez disso, desenhe a parte superior das orelhas perto da parte inferior da testa e a parte inferior das orelhas perto da parte inferior do nariz.

Em geral, tanto na manga como na arte humana realista, as orelhas são tão longas como a distância entre os olhos. Por conseguinte, quanto mais curtas forem as orelhas, mais pequenos serão os olhos. No entanto, esta regra pode mudar e variar consoante a forma do rosto.

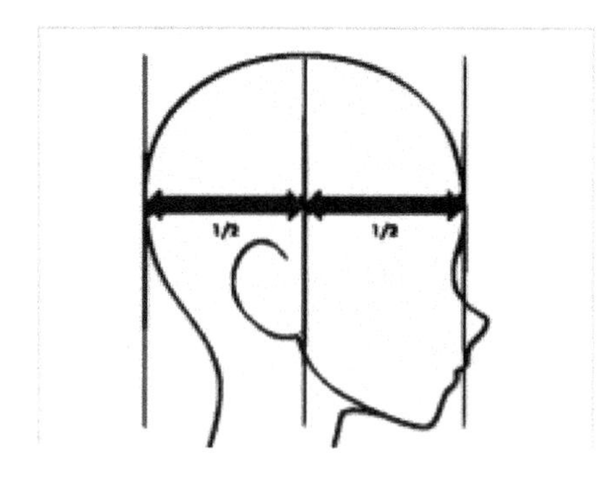

Se quiser desenhar uma personagem de manga mais sofisticada, desenhe as orelhas mais abaixo do normal na cabeça do que a

cabeça.

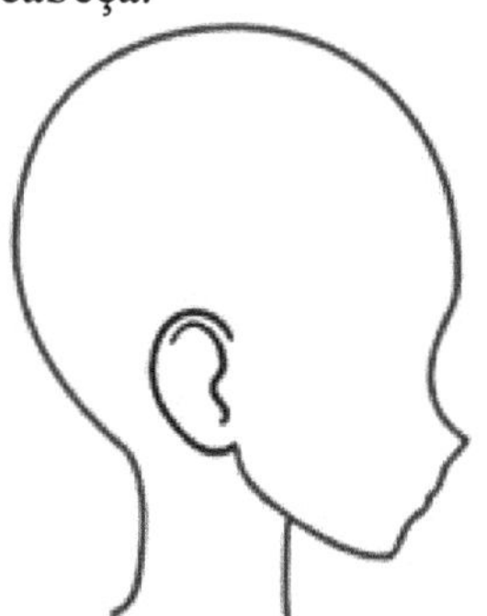

Vamos tentar desenhar a orelha de uma personagem. Quando falo em desenhar a orelha, refiro-me especificamente ao ouvido externo. O ouvido externo é constituído pelo pavilhão auricular e pelo meato auditivo externo.

Vamos começar por delinear a forma da orelha externa. São necessárias três linhas simples para desenhar esta parte da orelha. Primeiro, trace o contorno exterior do pavilhão auricular. A forma assemelha-se muito à metade de um coração, com a adição de uma curva na parte inferior.

Adicione os detalhes internos da orelha e duas linhas para desenhar o tragus, que é a porção saliente da cartilagem no centro, em frente à abertura auditiva externa. Oposto ao tragus está normalmente o antitragus.

Nesta altura, o desenho da orelha está quase terminado. Se quiser acrescentar mais pormenores, basta olhar para exemplos de orelhas reais; no entanto, para o estilo manga, estes dois pequenos passos são suficientes para desenhar a orelha.

Capítulo 4: Como desenhar os olhos de um personagem de manga

Uma das características que fazem com que a arte manga se destaque é o aspeto dos olhos das personagens. Dependendo do tipo de personagem, existem inúmeras variações de forma e expressão.

Nesta secção do guia, veremos alguns dos tipos mais comuns de olhos de personagens de manga e tentaremos perceber porque são desenhados dessa forma. A maior parte dos olhos das personagens de manga são desenhados de uma forma simples que deixa de fora muitos pormenores porque, ao desenhar personagens para uma banda desenhada inteira, ter olhos detalhados e realistas de cada vez levaria demasiado tempo.

Além disso, quanto maiores forem os olhos, mais fácil será vê-los nos pequenos desenhos que serão colocados numa banda desenhada de manga. Além disso, olhos maiores facilitam muito a transmissão do estado emocional da personagem.

Por conseguinte, os olhos de manga tendem a ser constituídos por partes mínimas, como as pestanas superiores e inferiores, a íris e a pupila.

Em vez de desenhar pestanas individuais, as pestanas da manga são frequentemente desenhadas como uma única forma ou apenas com um traço de algumas pestanas, conforme o estilo de desenho ou a escolha do artista. Abaixo encontrará todas as instruções e vários exemplos de desenho da forma básica do olho e variações desta forma básica.

Como desenhar a forma básica do olho de uma personagem de manga

A forma básica dos olhos de uma personagem de manga é constituída apenas por algumas linhas e curvas. Não têm muitos pormenores, o que os torna bastante fáceis de desenhar.

Comece por desenhar a forma básica dos olhos. Em seguida, passe para as pestanas superiores e inferiores.

Quanto à parte superior, desenhar uma linha curva para baixo.

Para a parte inferior, em vez disso, desenhe uma linha que esteja centrada em relação à primeira e que tenha uma pequena curva ascendente em ambas as extremidades.

Em seguida, adicione a íris desenhando uma oval no interior dos dois arcos ciliares, de modo a que as duas extremidades da oval fiquem completamente ligadas às pestanas.

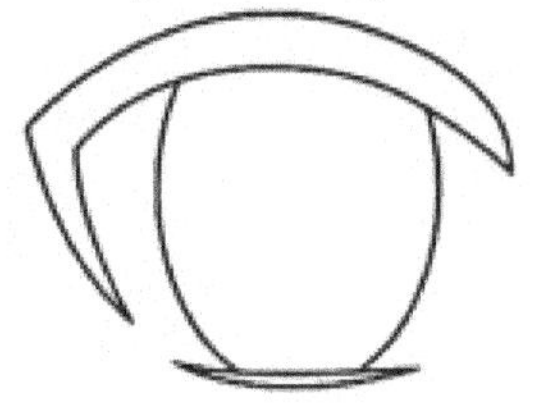

Depois disso, comece a adicionar os pormenores ao interior do olho. Pode desenhar dois círculos no interior da íris; um maior colocado na parte superior e um mais pequeno colocado na parte inferior. Estes dois círculos indicam a luz reflectida no olho.

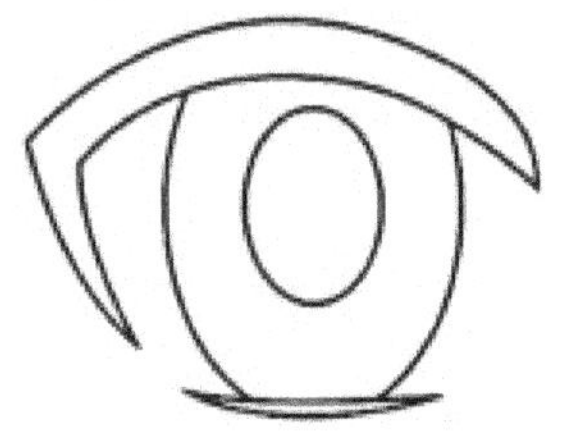

Em seguida, desenhe as linhas que representam a pupila.

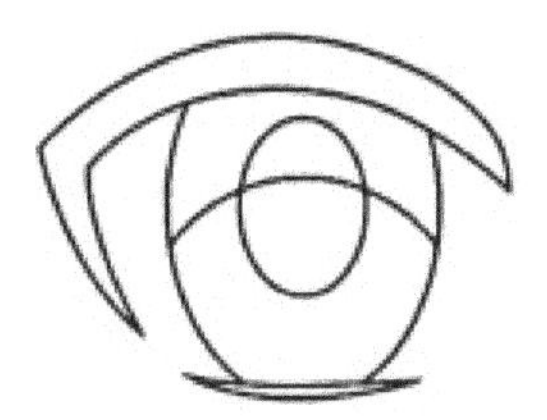

Depois disso, desenhe a luz principal reflectida na parte superior do olho.

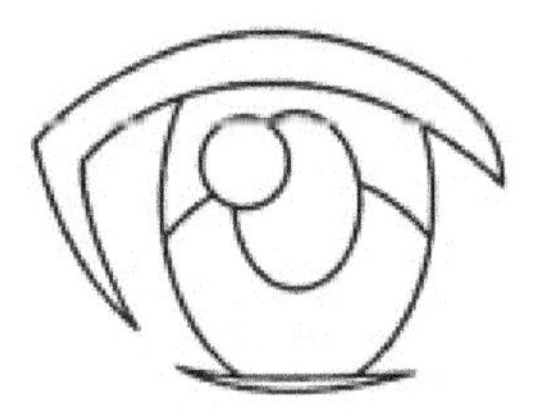

Desenhe a luz secundária reflectida na parte inferior do olho.

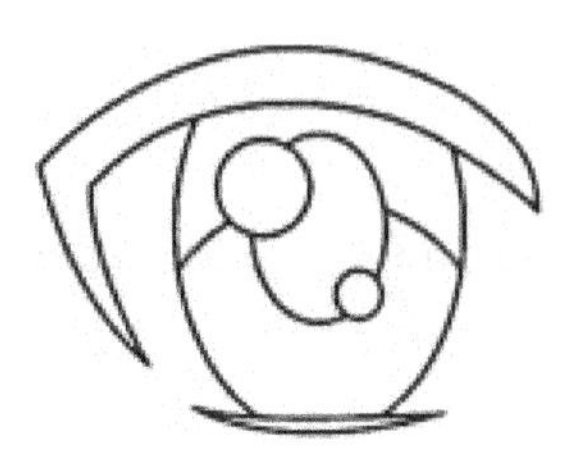

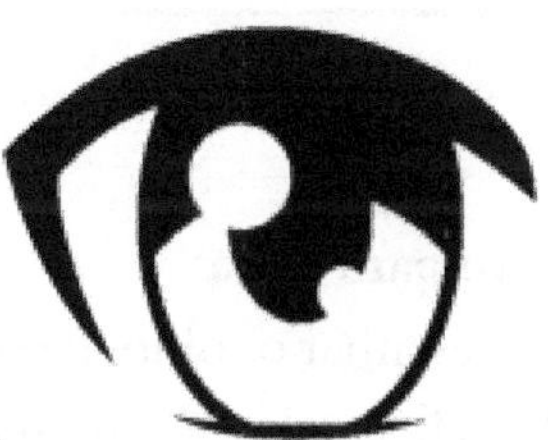

Agora, tente sombrear o olho colorindo as áreas brancas superiores à volta da pupila.

O desenho básico dos olhos de uma personagem manga está pronto. Se quiser um aspeto mais dramático, basta pintar a pupila de um preto mais escuro ou mais profundo, ou adicionar cor aos olhos da sua personagem, se quiser.

Lembre-se que na vista frontal, não angular, os olhos devem estar normalmente suficientemente afastados para que possa colocar outro olho no meio.

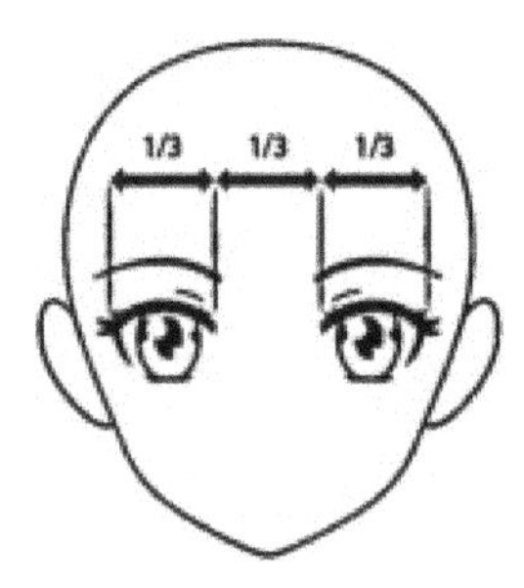

Para a vista angular, desenhe tudo como se tivesse sido comprimido verticalmente. Quanto mais o ângulo for comprimido, mais angulares serão os olhos. Ao desenhar olhos num ângulo, a distância entre eles deve ser inferior à largura do olho mais próximo do observador.

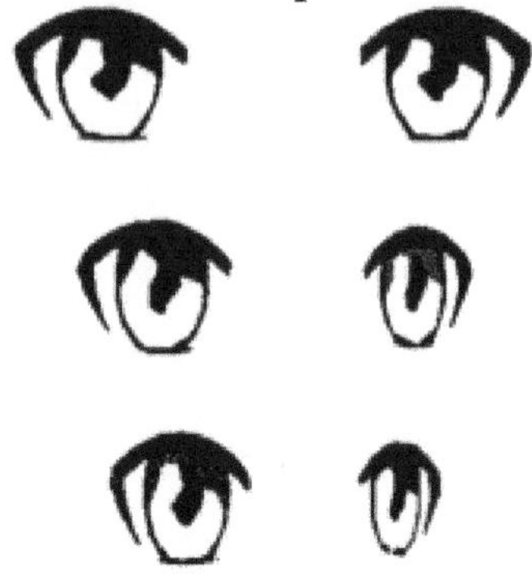

Vista de cima para baixo

Ao desenhar os olhos de cima para baixo, desenhe a parte superior dos olhos mais achatada do que a parte inferior. Isto deve-se ao facto de as pálpebras serem mais visíveis a partir deste ângulo e parecerem cobrir mais o olho.

Vista de baixo para cima

Quando desenhar os olhos de baixo para cima, desenhe a parte superior dos olhos mais curvada. Isto deve-se ao facto de as pálpebras ficarem mais escondidas por detrás da curvatura das pálpebras quando vistas deste ângulo.

Exemplo de desenho de olhos semirealistas

Para este estilo, basta desenhar as íris e as pupilas à volta e aproximar os olhos muito mais do que a posição dos olhos reais.

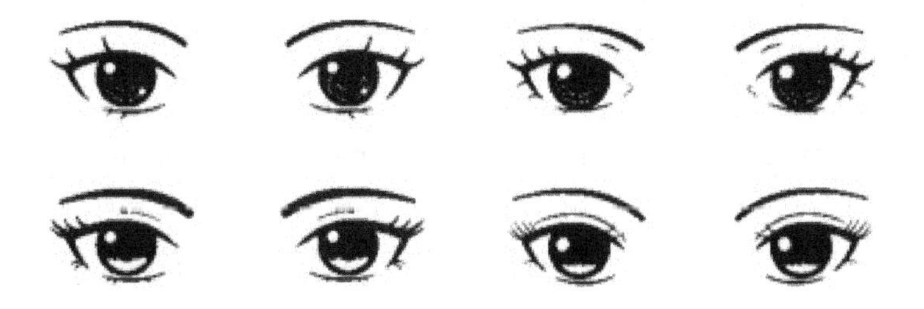

Exemplo de como desenhar olhos de manga com formas regulares

Este é o método mais popular para criar olhos de manga. Para obter este aspeto, basta desenhar os olhos muito maiores do que são na realidade. Basta fazer vários traços para as pestanas.

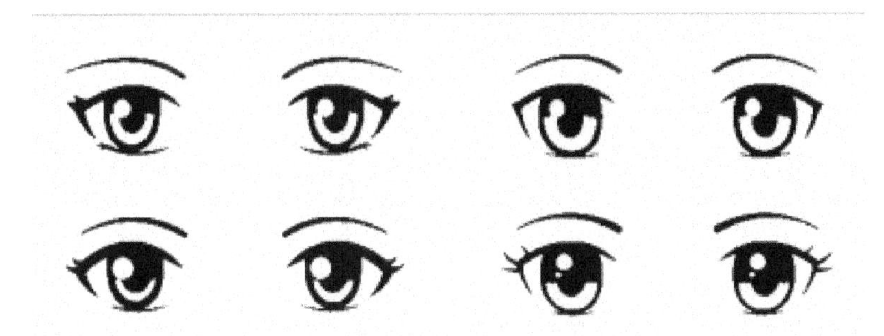

Exemplo de como desenhar olhos de manga estilizados ou ao estilo Chibi

As personagens desenhadas neste estilo são frequentemente conhecidas como chibi. Estas personagens têm corpos pequenos e cabeças enormes, com olhos gigantes que podem cobrir a maior parte do rosto. Por isso, para representar este estilo, é necessário desenhar olhos enormes. Desenhe quase todas as partes dos olhos alongadas verticalmente. A maior parte dos pormenores dos olhos, quando se desenha neste estilo, pode ser omitida. Também se pode evitar desenhar as pestanas inferiores.

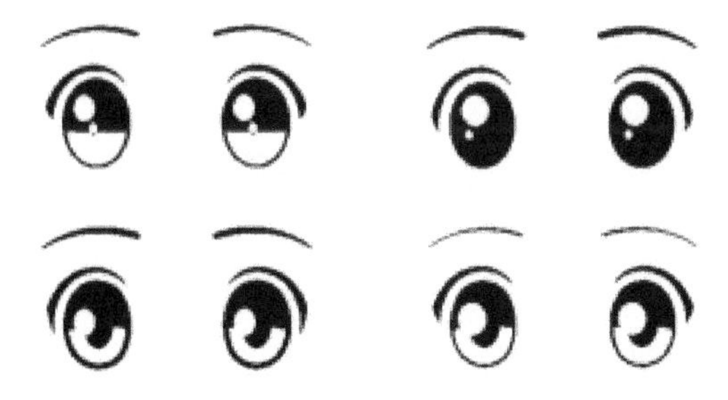

Como desenhar os olhos de uma personagem feminina

Os olhos da manga, como já especificámos, são quase sempre desenhados maiores e mais largos do que os olhos reais. Isto é especialmente verdade para as personagens femininas, que muitas vezes têm olhos maiores e mais largos do que os seus homólogos masculinos. Os pormenores do desenho dos olhos femininos no estilo manga serão agora descritos passo a passo, com exemplos de desenhos completos para cada etapa.

Os olhos femininos distinguem-se dos masculinos pelas pestanas mais pronunciadas, mais compridas, mais espessas e mais volumosas. Embora isto nem sempre seja a norma, é normalmente o caso.

A forma básica dos olhos das personagens femininas é idêntica à das personagens masculinas. A única diferença é que a tua personagem terá pestanas adicionadas no final.

O primeiro passo é colocar corretamente os olhos na cabeça. Divida a forma da cabeça ao meio e desenhe os olhos abaixo do meio para os dispor verticalmente.

Os olhos reais são normalmente colocados nesta linha, mas na manga, os olhos são normalmente desenhados mais abaixo, especialmente para as personagens femininas mais jovens.

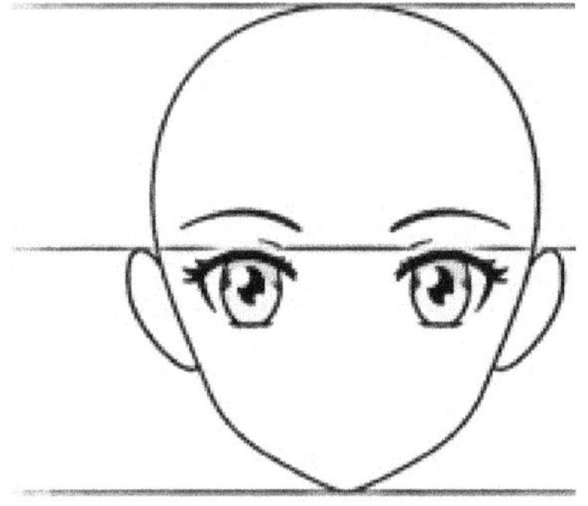

Desenhe a parte exterior do olho.

Comece o seu desenho com a forma exterior do olho.

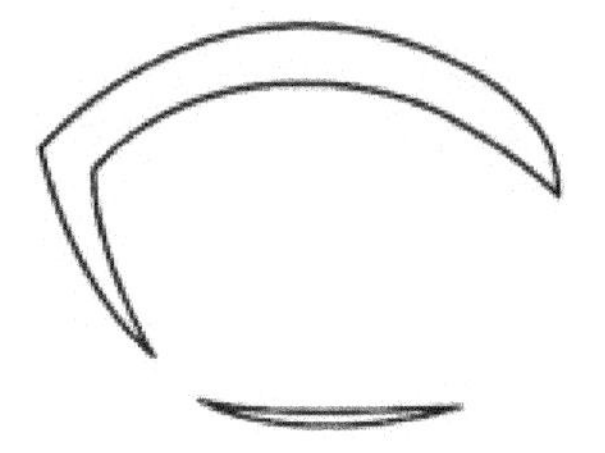

Desenhe a forma da íris.

Desenhe a íris alongada na vertical. Basicamente, deve desenhar uma forma oval com a parte superior e inferior escondidas pelas pálpebras.

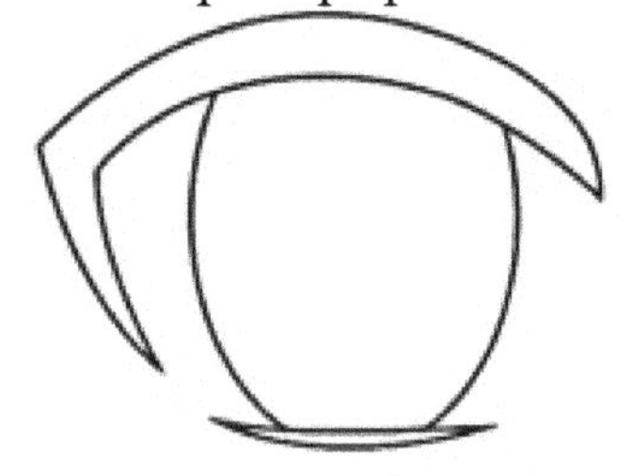

Desenhe a íris e, no interior da íris, desenhe a pupila, traçando a mesma forma que a íris, mas mais pequena.

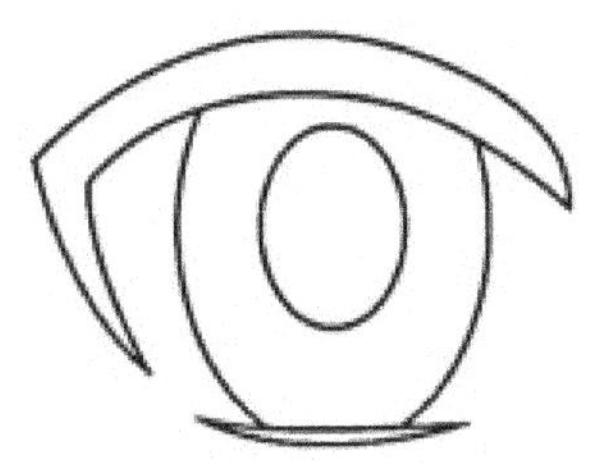

Desenhe uma linha escura na parte superior da íris.

Desenhe uma linha em direçao à metade superior do olho que indicará a área mais escura parcialmente criada pela sombra das pestanas reflectida nos olhos.

No passo seguinte, pode apagar a linha que se sobrepõe à pupila. A razão para a desenhar até ao fim é garantir que ambos os lados ficam iguais.

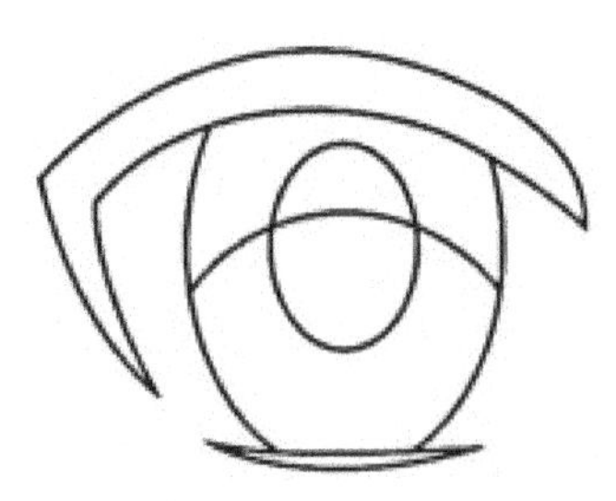

Desenhe o ponto de reflexão do olho.

Apague a linha de sombra sobre a pupila e desenhe um pequeno círculo ao lado para mostrar a área de reflexão da luz.

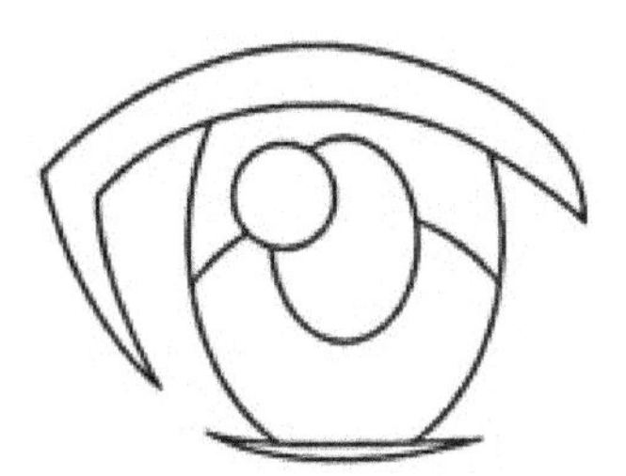

Adicionar o segundo ponto de luz.

Insira um círculo mais pequeno por baixo do primeiro círculo, mas no lado oposto.

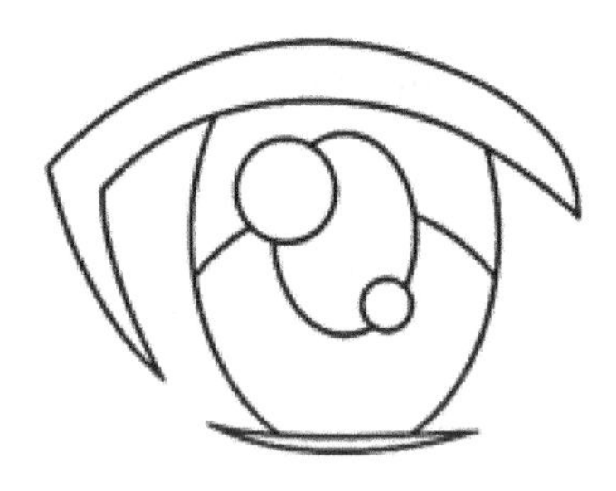

Sombrear as diferentes zonas do olho.

Finalmente, pode sombrear as diferentes zonas desenhadas na etapa anterior. Sombreie as pálpebras, que tecnicamente também fazem parte das pestanas, a preto. Além disso, sombreie a pupila a preto.

Por fim, sombreie a íris com cinzento ou com a cor que quiser dar aos olhos.

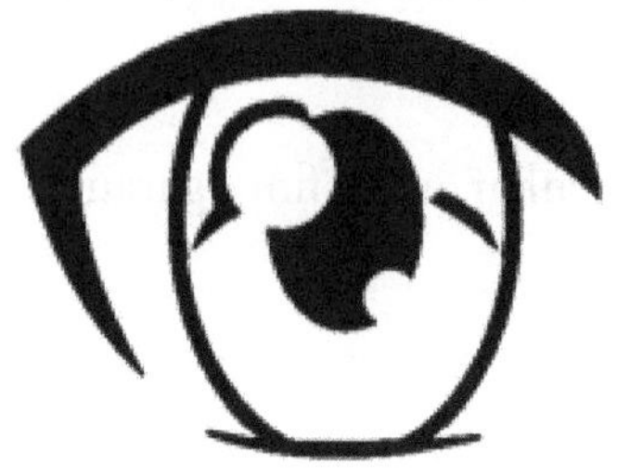

Adicionar pestanas na pálpebra superior.

Lembre-se, como já referi, pode parar no passo anterior e ter um olho manga completamente aceitável. No entanto, uma vez que o foco, neste caso, são os olhos femininos, adicionar algumas pestanas dará à sua personagem um aspeto mais feminino. O primeiro sítio onde tem de adicionar pestanas é nos cantos exteriores do olho. Geralmente, as pestanas verdadeiras espalham-se à volta das pálpebras. Tente desenhar as pestanas da sua personagem de forma semelhante.

Em seguida, coloque algumas pestanas mais pequenas no canto interior do olho.

Não é necessário juntá-los no meio, uma vez que, normalmente, tendem a apontar para a frente e, por isso, visualmente, juntam-se simplesmente numa única forma.

Adicione pestanas à parte inferior do olho.

Por fim, adicione pequenas pestanas nos cantos externos e internos inferiores do olho para obter um desenho acabado de um olho de manga feminino.

Nesta altura, pode deixar o olho assim ou decidir sombreá-lo e colori-lo.

Desenhe também o outro olho.

O último passo é desenhar o outro olho

Se tenciona desenhar os dois olhos em simultâneo, complete primeiro cada passo de um olho antes de passar ao seguinte.

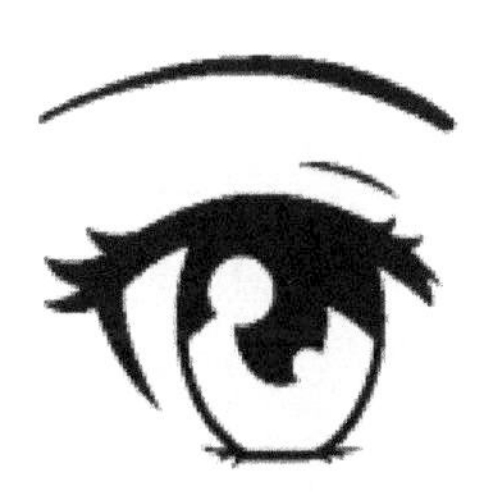

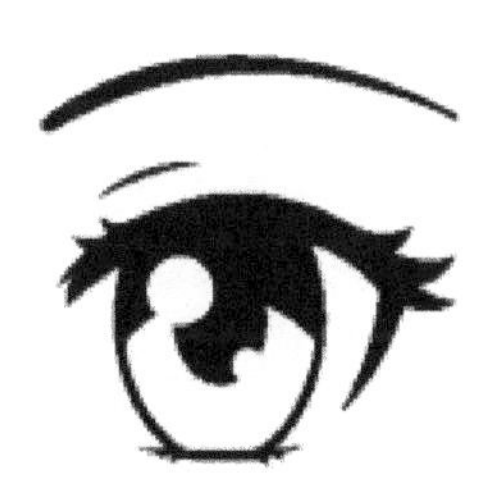

Como desenhar olhos de personagens masculinos em manga

Nesta secção, vou mostrar-lhe, passo a passo, como desenhar os olhos de personagens masculinos de manga.

As personagens masculinas mais velhas têm olhos mais estreitos do que as personagens mais jovens. Para realçar esta distinção e fazer com que as personagens pareçam mais jovens, desenhe-lhes olhos maiores e mais redondos.

Os olhos das personagens masculinas mais jovens são frequentemente desenhados como muito semelhantes ou idênticos aos das personagens femininas. A única diferença é uma forma um pouco mais alongada e a ausência de pestanas.

Neste exemplo, aprenderá a desenhar os olhos de uma personagem masculina adulta de 20-30 anos.

Comece por posicionar corretamente os olhos na cabeça. Para posicionar os olhos na cabeça, desenhe uma linha horizontal no centro da cabeça e desenhe os olhos abaixo dessa linha.

Se quiser desenhar olhos meio fechados, desenhe-os um pouco abaixo da linha do meio, uma vez que a parte superior dos olhos será coberta pelas pálpebras.

Estas directrizes de colocação também podem mudar consoante o estilo. Se estiver, por exemplo, a tentar dar ao seu personagem um aspeto muito realista, deve colocar os olhos mais altos.

Se quiser, pode até dar uma ideia da parte superior das pálpebras. Os estilos de manga mais realistas mostram as pálpebras, mas os mais simples não as mostram.

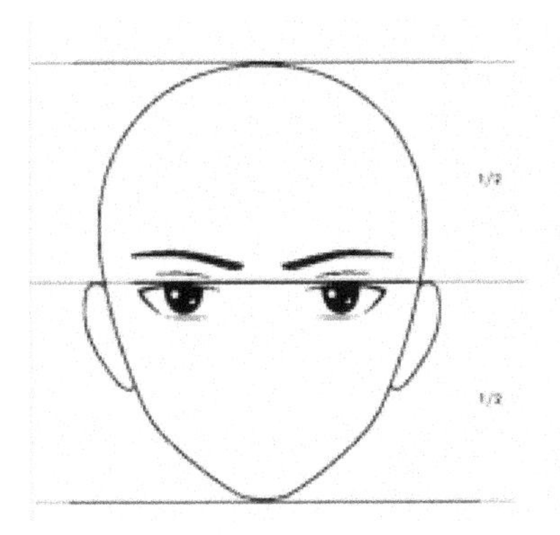

Comece por desenhar a forma exterior do olho.

Como já foi referido, os olhos das personagens masculinas tendem a ser mais estreitos do que os das personagens femininas.

Adicionar íris.

As íris das personagens de manga são muitas vezes desenhadas numa forma ligeiramente oval, embora por vezes possam ser desenhadas redondas, tal como os olhos reais. Pode reparar que, neste exemplo em particular, grande parte da pupila está coberta pelas pálpebras.

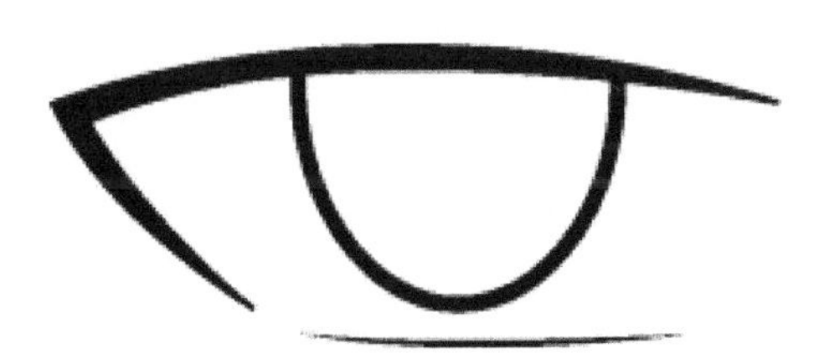

Desenhar a pupila.

Colocar a pupila próxima da forma da íris, mas mais pequena e mais estreita.

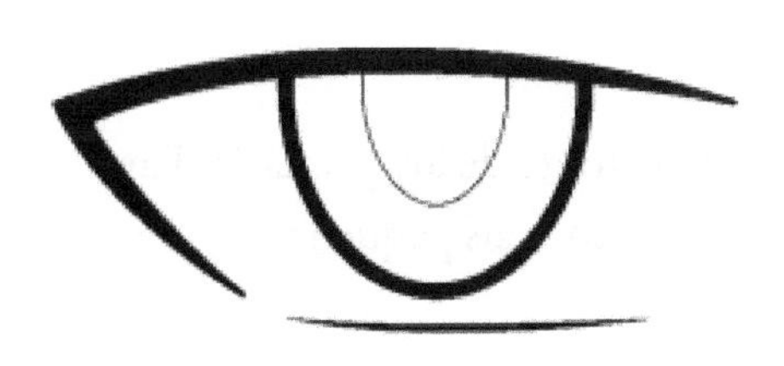

Adicione a linha que servirá de guia para o sombreado.

Normalmente, haverá uma sombra ou um reflexo das pestanas na parte superior dos olhos, tornando a parte superior mais escura. Pode delinear e depois sombrear esta área mais tarde.

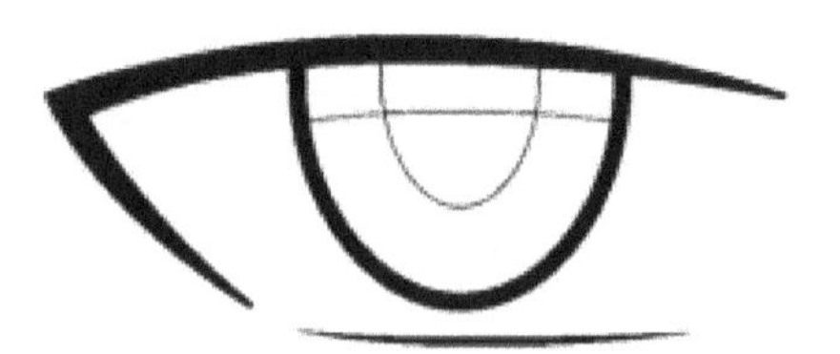

Combinar a linha da pupila e da sombra.

Uma vez que podem ser sombreadas com a mesma cor, pode construir a pupila e a sombra superior como uma única forma.

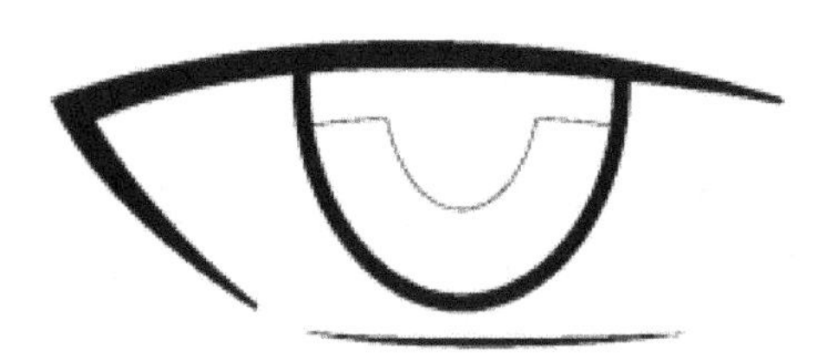

Adicione o reflexo principal do olho.

Desenhe um círculo na parte superior do olho para representar a fonte de luz principal.

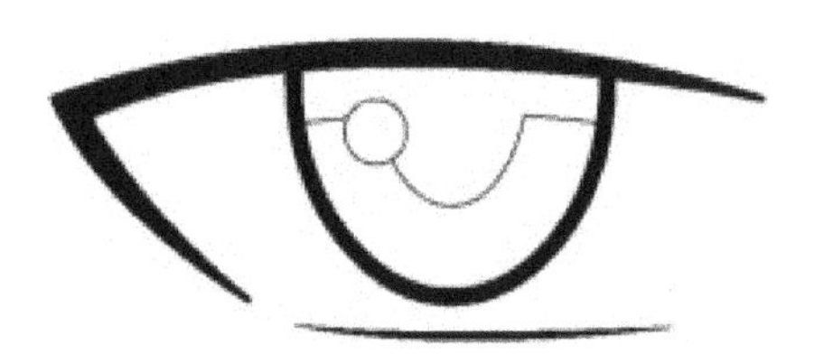

Desenhar a reflexão secundária.

O reflexo secundário no olho provém normalmente da luz emitida pelo reflexo da fonte de luz primária. Para isso, basta colocar outro círculo no canto oposto ao fundo do reflexo primário, muito mais pequeno do que o primeiro.

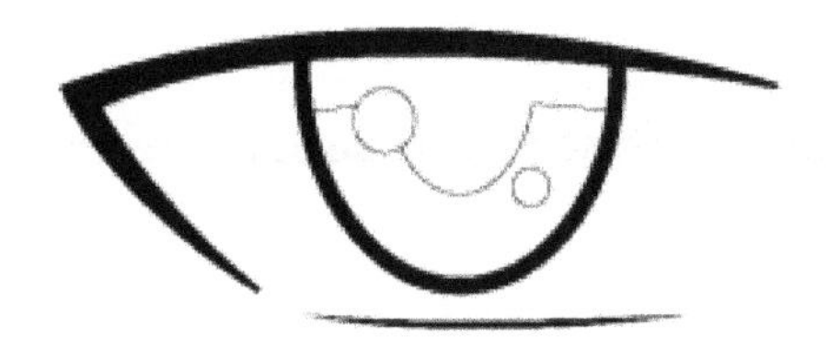

Escurecer a parte relacionada com a pupila.

Desenhe uma linha mais escura para indicar a pupila, uma vez que o resto são linhas de orientação que desaparecerão quando passar para a sombra.

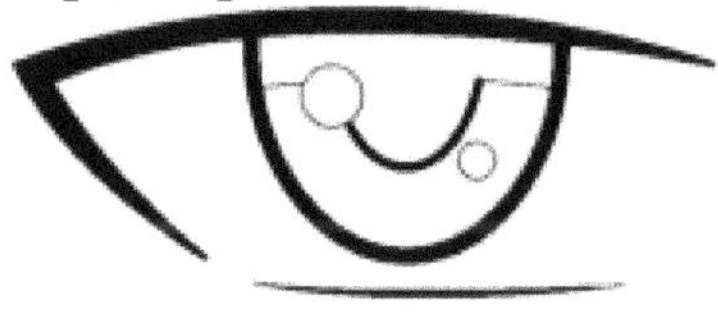

Agora é só sombrear e, se quiser, colorir o olho.

Como mencionado anteriormente, pode utilizar a mesma cor para a pupila e para a sombra. Deixe as luzes brancas, a menos que a fonte de luz seja de uma cor específica.

Como desenhar olhos de manga para mostrar o estado de espírito e a personalidade da sua personagem

Vamos concentrar-nos agora em como desenhar olhos de manga para dar uma ideia do estado de espírito ou da personalidade de uma personagem.

Com estes exemplos, quero dar-lhe algumas ideias básicas sobre como desenhar olhos para retratar uma personagem de uma certa forma e com uma certa atitude.

Exemplo de como desenhar olhos amigáveis

Os olhos grandes são geralmente mais expressivos e dão a ideia de serem mais amigáveis. Para tornar os olhos ainda mais amigáveis, pode desenhar as pálpebras inferiores ligeiramente levantadas e curvadas para baixo; isto dará aos olhos um ligeiro olhar de esguelha, como se estivessem a sorrir, e dará melhor a ideia de serem mais amigáveis.

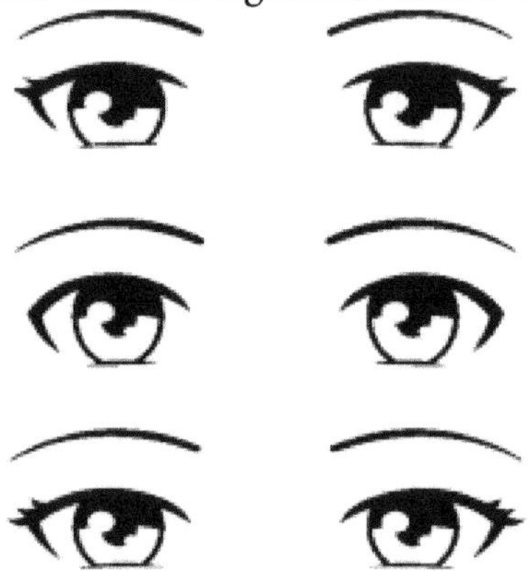

Exemplo de como desenhar olhos inocentes

Para conseguir este efeito, deve adicionar muitos reflexos no interior do olho. Desta forma, pode dar a uma personagem um ar inocente, excitado ou mesmo apaixonado.

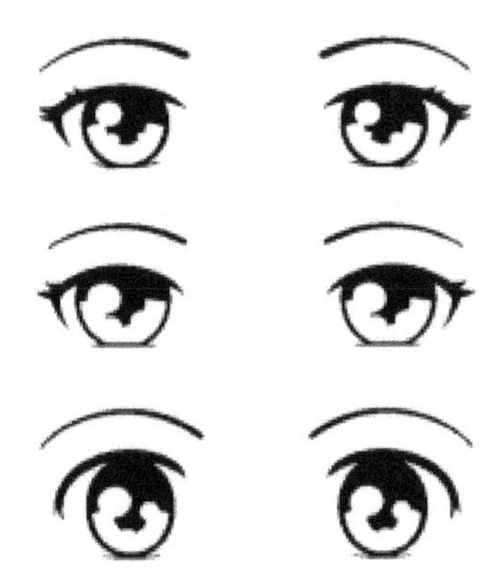

Exemplo de como desenhar olhos sérios

Para uma personagem de aspeto sério, basta estreitar os olhos verticalmente com as pálpebras superiores e as sobrancelhas descaídas em direção ao centro do rosto.

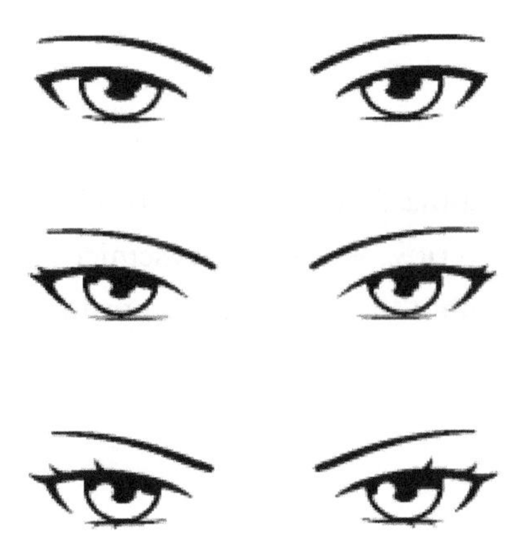

Exemplo de como desenhar olhos assustados ou loucos

Se quiser que a sua personagem tenha olhos loucos ou assustados, desenhe-os bem abertos com íris e pupilas mais pequenas do que o normal. Deixe espaço em branco entre as íris, as pálpebras e as pestanas.

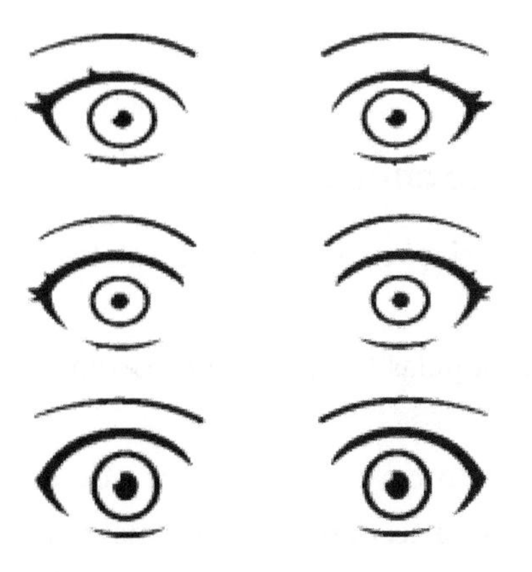

Exemplo de como desenhar olhos indiferentes

Deve desenhar os olhos sem pupilas ou reflexos para obter o efeito de olhos indiferentes. Isto pode fazer com que uma personagem pareça indiferente ou mesmo inconsciente.

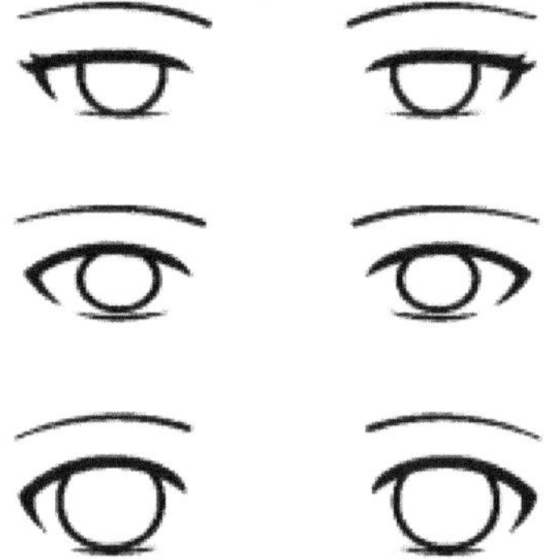

Exemplo de como desenhar olhos maus

Para enfatizar que os olhos da sua personagem parecem maus, pode utilizar uma combinação de dois ou dos três olhos sérios, loucos e indiferentes. A forma geral dos olhos deve ser semelhante à dos olhos sérios, ou seja, olhos semicerrados com pálpebras e sobrancelhas baixas. Pode desenhar as íris mais pequenas do que nos olhos loucos, e muitos pormenores interiores podem ser omitidos.

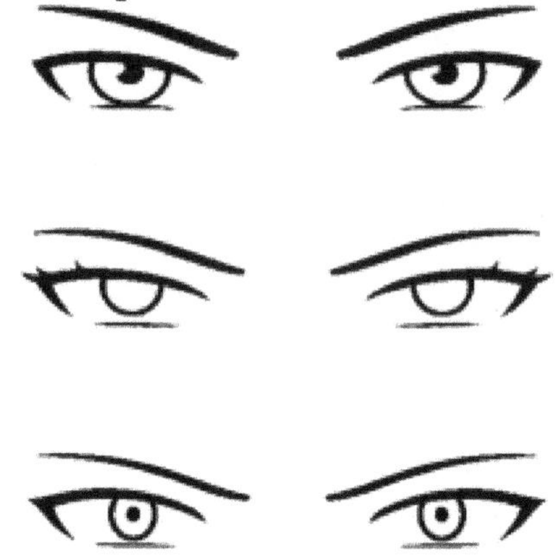

Como desenhar os olhos e as expressões de personagens de manga que choram

Nos exemplos seguintes, aprenderá a desenhar olhos de manga a chorar em quatro variações diferentes e a colocar os olhos corretamente na cabeça.

Antes de mais, desenha a cabeça inteira. Uma grande parte da cabeça será coberta pelas lágrimas que correm pelo rosto.

O posicionamento dos olhos das personagens de manga nos seus rostos muda consoante o estilo. Comece o desenho posicionando corretamente os olhos no rosto da sua personagem. Como dito anteriormente, desenhar a forma geral da cabeça e uma linha horizontal diretamente no centro dela é uma excelente técnica para posicionar os olhos na cabeça. Desenhe os globos oculares logo abaixo desta linha.

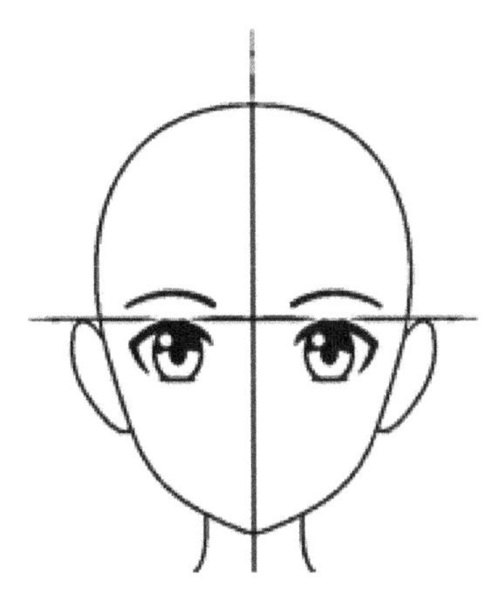

Exemplo de como desenhar uma personagem de manga que está prestes a chorar

Ao desenhar uma personagem que está a começar a chorar, deve desenhar os olhos semicerrados. Desenhe as pestanas e as pálpebras inferiores curvadas para dentro e ligeiramente abaixadas em direção ao exterior do olho.

Desenhe as pestanas e as pálpebras superiores menos curvadas do que o normal e ligeiramente descidas em direção ao exterior do olho.

Desenhe as sobrancelhas em forma de uma curva subtil invertida, com a parte interna das sobrancelhas levantada e a parte externa baixada.

Finalmente, para representar as lágrimas da sua personagem, desenhe duas pequenas gotas redondas nos lados dos olhos, ou seja, nos canais lacrimais.

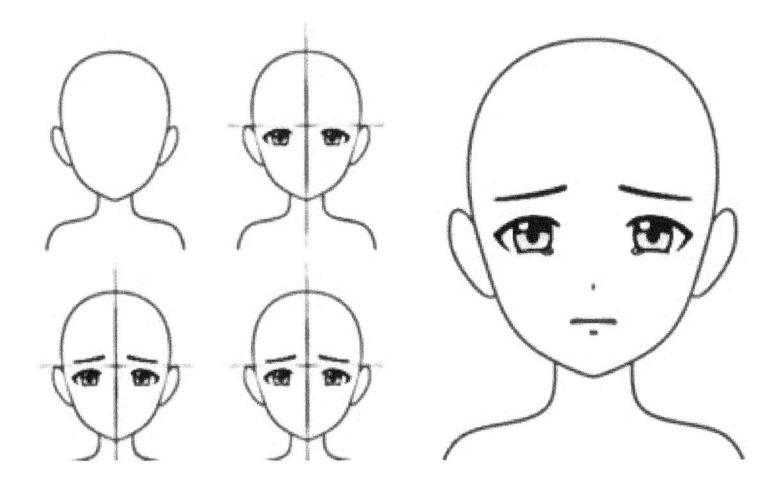

Exemplo de como desenhar uma personagem com lágrimas em primeiro plano

Utilize as mesmas direcções que no exemplo anterior, mas desenhe lágrimas que cubram toda a parte inferior de cada olho. Faça com que os seus contornos fiquem pendurados nas extremidades das pálpebras inferiores. Como se estivessem prestes a derramar-se sobre a borda do olho.

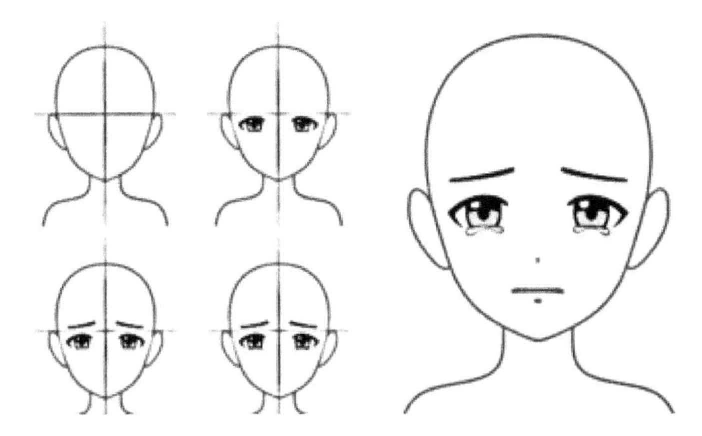

Exemplo de como desenhar uma personagem com lágrimas a escorrer pelo rosto. Mais uma vez, utilize as mesmas direcções que no primeiro exemplo, mas, neste caso, deve desenhar os olhos ligeiramente mais fechados e aproximar as sobrancelhas.

Desenha o fluxo de lágrimas com uma pequena curva, para que se adaptem à forma do rosto. Além disso, desenha algumas lágrimas na parte interior do olho, mas não até ao fundo como na área exterior, para que o desenho pareça mais natural.

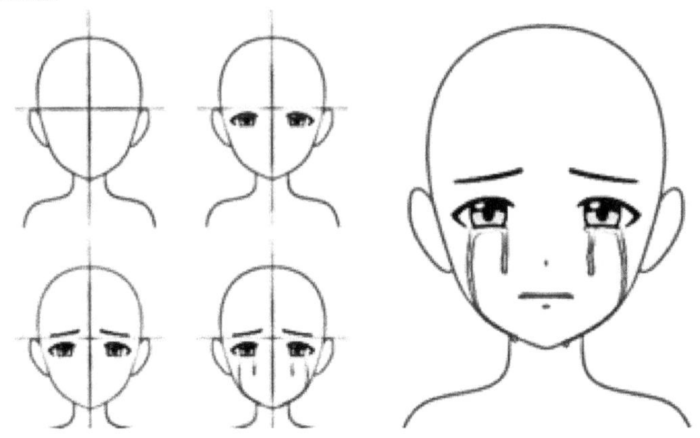

Exemplo de como desenhar uma personagem a chorar

Para enfatizar que a sua personagem está realmente perturbada, desenhe os olhos completamente fechados com uma curva invertida.

Faça as sobrancelhas ainda mais baixas e mais juntas do que nos exemplos anteriores. Também pode adicionar rugas para acentuar a forma como as sobrancelhas estão apertadas. Desenhe lágrimas no mesmo padrão que no exemplo anterior, mas caindo mais para baixo no rosto. Também pode acrescentar algumas lágrimas a cair perto do queixo. Neste caso, as lágrimas vão rolar pelo rosto e juntar-se para baixo.

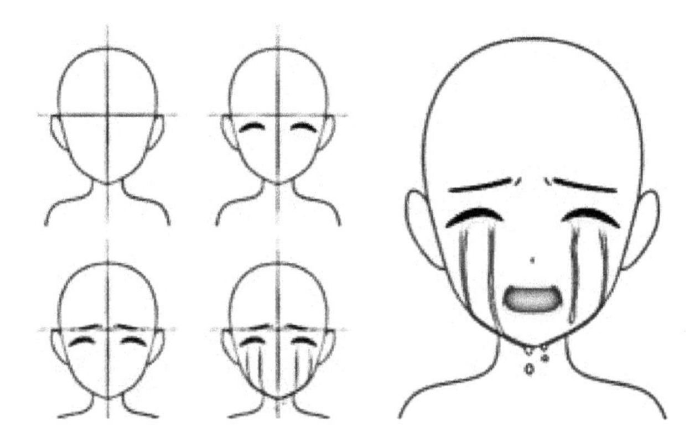

Capítulo 5: Como desenhar as sobrancelhas de uma personagem

Esta parte do guia irá discutir como desenhar diferentes tipos de sobrancelhas ao estilo manga em diferentes posições.

As sobrancelhas das personagens de manga têm muitas variações em termos de forma e tamanho, mas geralmente dividem-se em algumas categorias básicas.

De seguida, explicaremos como desenhar as sobrancelhas seguindo estas categorias específicas.

Exemplo de como desenhar sobrancelhas finas para manga

Este tipo de sobrancelha é mais frequentemente utilizado para desenhar personagens de estilo manga. Pode desenhar tanto sobrancelhas finas como básicas, muito simples e ligeiramente mais grossas no centro e mais finas nas extremidades.

Também pode desenhar sobrancelhas finas em forma de onda quando estão em baixo. Quando levantadas, podem ser desenhadas como curvas de cabeça para baixo ou simplesmente mais altas na cabeça com as extremidades interiores levantadas. Pode ver as imagens abaixo.

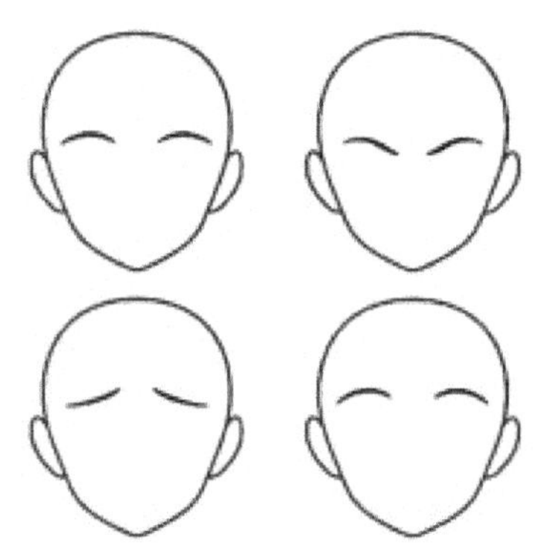

Exemplo de como desenhar as sobrancelhas mais grossas no interior e mais finas no exterior

Ao contrário do exemplo anterior, estas sobrancelhas tendem a ser mais espessas nas extremidades interiores e mais finas nas extremidades exteriores.

Quanto às variações, pode fazê-las exatamente como no exemplo acima. Basta respeitar a forma geral da sobrancelha e desenhar as extremidades interiores ligeiramente mais grossas.

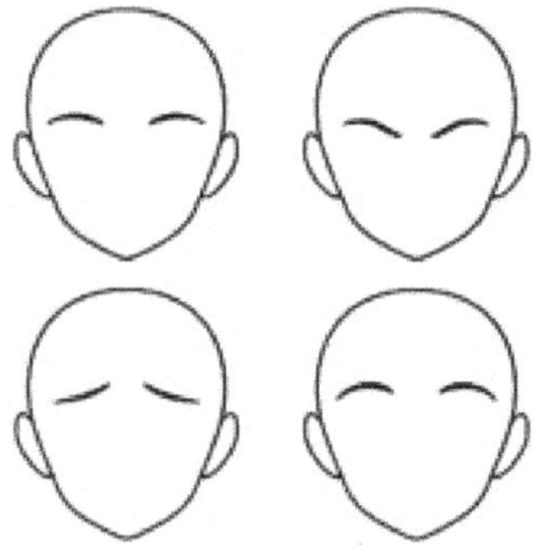

Exemplo de como desenhar sobrancelhas finas de uma só linha

São, sem dúvida, a forma mais simples de sobrancelhas, pois basta traçar uma curva ligeira e subtil.

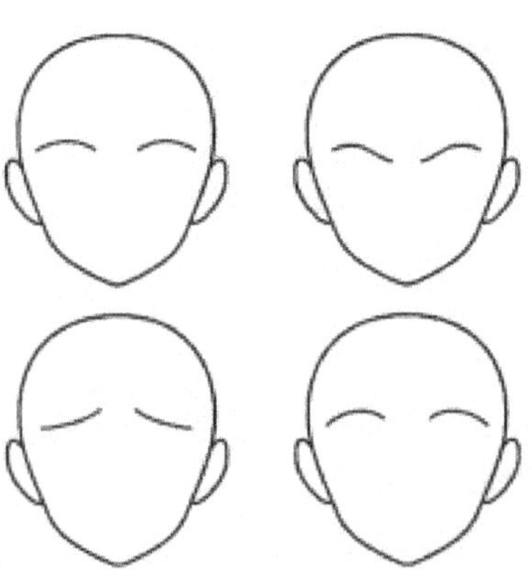

Para versões diferentes, é necessário utilizar o mesmo processo de desenho

.

Exemplo de como desenhar sobrancelhas curtas e finas

Algumas personagens de manga tendem a ter sobrancelhas muito curtas. É importante notar que as sobrancelhas curtas começam geralmente à mesma distância do centro do rosto que as sobrancelhas longas. As suas extremidades exteriores não vão normalmente tão longe para os lados do rosto como as sobrancelhas longas.

Quando quiser indicar emoções diferentes através desta forma de sobrancelha, deve desenhá-las quase como no exemplo geral, mas com menos curvatura quando baixadas.

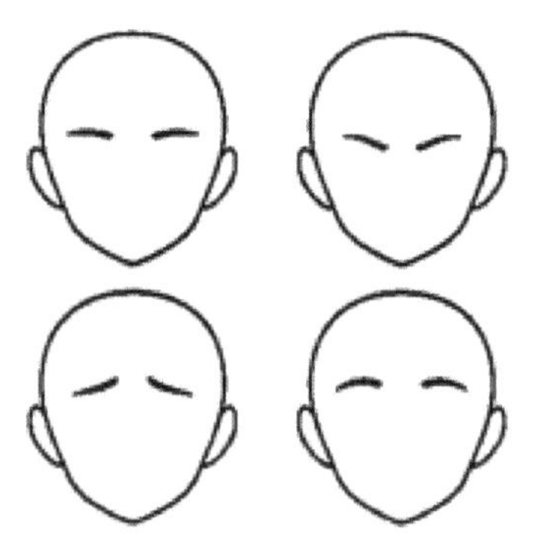

Exemplo de como desenhar sobrancelhas curtas e grossas

Para desenhar este tipo de sobrancelhas, pode desenhá-las de forma semelhante a um triângulo, mas com os cantos arredondados.

Quando desenha estas sobrancelhas em posições diferentes, pode dar-lhes a mesma forma geral e alterá-las ligeiramente para corresponder à expressão facial da sua personagem.

Para sobrancelhas mais baixas, aproxime-as e aproxime-as mais do rosto. Quando as sobrancelhas estão levantadas, só tem de as virar. Para sobrancelhas levantadas, desenhe-as mais alto na cabeça sem as inclinar.

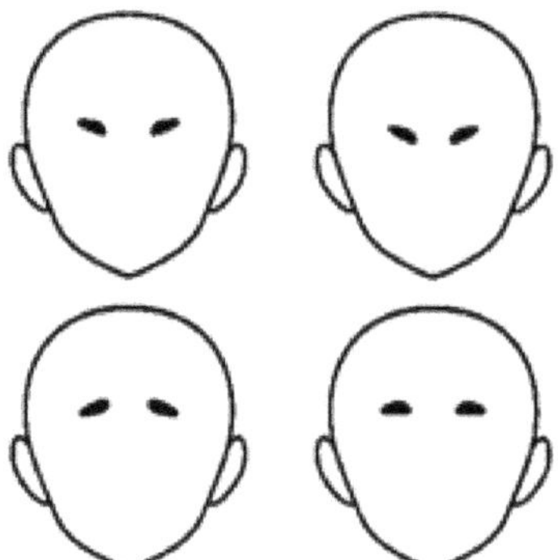

Exemplo de como desenhar sobrancelhas curtas, grossas e pontiagudas

A forma é semelhante à do exemplo anterior. A única diferença é que o triângulo na extremidade da sobrancelha não é fechado, mas sim alongado e pontiagudo.

Pode seguir praticamente as instruções do exemplo acima para obter versões diferentes. Em geral, pode manter ou alterar ligeiramente a forma geral e rodá-las movendo-as de acordo com a expressão facial da personagem.

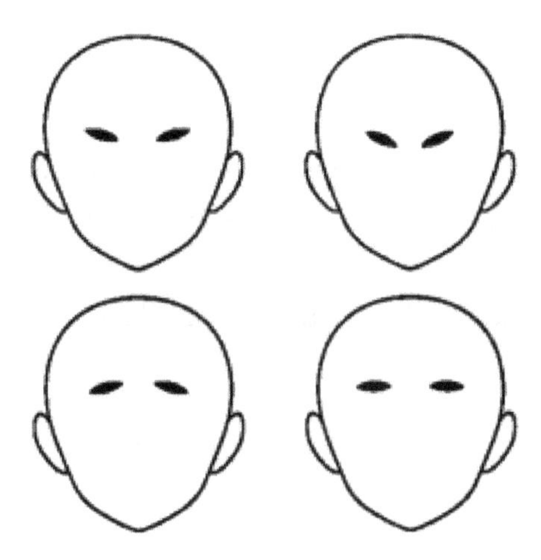

Exemplo de como desenhar sobrancelhas muito grossas

As sobrancelhas grossas são outro tipo bastante comum utilizado para representar personagens de manga. No entanto, tendem a ser mais comuns nas personagens masculinas.

São basicamente versões mais grossas de sobrancelhas finas. Desenhe as sobrancelhas mais espessas em direção ao centro e mais finas em direção às extremidades exteriores. Em alternativa, pode desenhá-las mais espessas na direção das extremidades interiores.

Pode desenhar diferentes versões seguindo o exemplo geral e mudando simplesmente a posição.

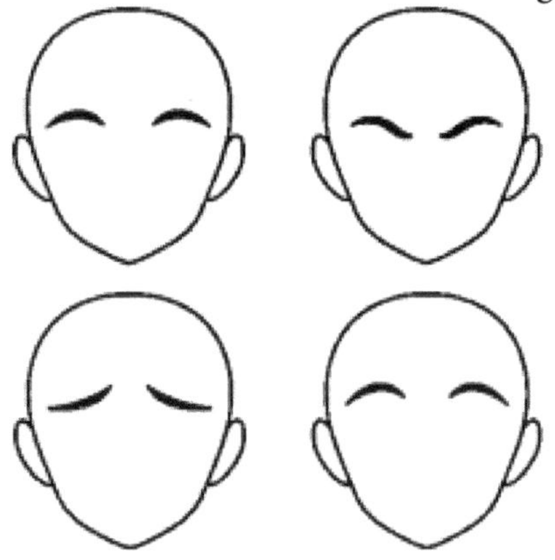

Exemplo de como desenhar sobrancelhas muito espessas ou espessas

Este tipo de sobrancelha é bastante raro de encontrar num desenho de manga. Normalmente, são as personagens masculinas que tendem a tê-las, embora por vezes as personagens femininas sejam vistas com estas sobrancelhas em contextos lúdicos ou irónicos.

Para desenhar este tipo de sobrancelha, basta desenhar duas linhas curvas paralelas e depois juntá-las nos lados.

Mais uma vez, pode desenhar as diferentes posições das sobrancelhas com base no primeiro exemplo.

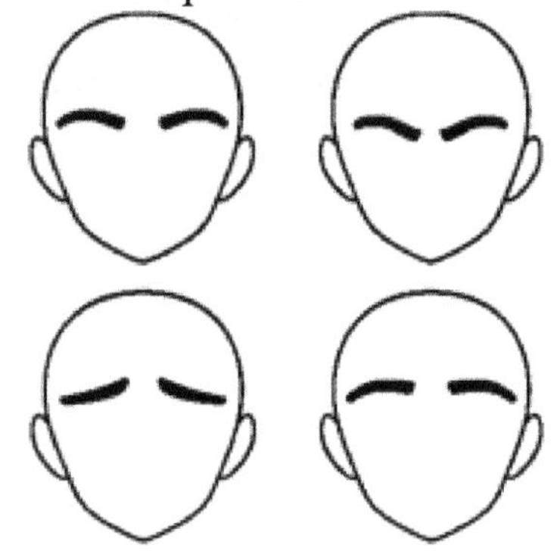

Capítulo 6: Como desenhar as pestanas das personagens de manga

Neste capítulo, aprenderá a desenhar diferentes tipos de pestanas de personagens de manga, desde estilos muito simples a semi-realistas.

Os olhos são um componente essencial da arte manga, e as pestanas são um elemento importante dos olhos. Nos exemplos, verá as pestanas que são vistas com mais frequência. Prepare-se para algumas sugestões úteis, bem como técnicas sobre como desenhar pestanas.

Exemplo de como desenhar pestanas de uma forma simples

O tipo mais básico de pestanas para manga é uma forma sólida sem quaisquer pestanas individuais. São normalmente compostas pela parte superior e inferior, mas em alguns estilos simplificados podem ser desenhadas apenas as pestanas superiores.

Desenhar este tipo de pestanas é bastante simples. Comece com o contorno da sua forma geral.

Faça as pestanas superiores muito mais espessas do que as inferiores. Tenha cuidado para não fazer as pestanas inferiores demasiado espessas; caso contrário, a sua personagem pode parecer que tem bolsas debaixo dos olhos. Preencha as pestanas com cor preta quando tiver terminado o desenho.

Exemplo de como desenhar pestanas padrão para manga

Estas são as pestanas mais comuns que se vêem na maioria das bandas desenhadas de manga. Apenas algumas das pestanas individuais são desenhadas neste estilo de desenho específico.

Tal como no exemplo anterior, comece por desenhar a forma do contorno das pestanas sem quaisquer pestanas individuais.

Preencher novamente o contorno das pestanas com preto.

As pestanas, na realidade, espalham-se à volta do olho; por isso, tenha isso em mente quando as desenhar. Embora não seja necessário mostrar a transição completa, deve manter as poucas pestanas mostradas na direção certa para essa parte do olho.

Como as pestanas são pequenas e simples, pode sombrear e desenhá-las simultaneamente. Adicione as pestanas maiores aos cantos exteriores superiores dos olhos e as mais pequenas aos cantos interiores e às pálpebras inferiores.

Exemplo de como desenhar pestanas semi-realistas de personagens de manga

As pestanas semi-realistas são mais raras porque demoram mais tempo a desenhar. Por isso, é mais provável que apareçam em peças individuais ou capas de banda desenhada.

Como já sabe, tem de começar por desenhar a forma exterior das pestanas, mas desta vez desenhe a parte superior e inferior como se fossem uma só forma.

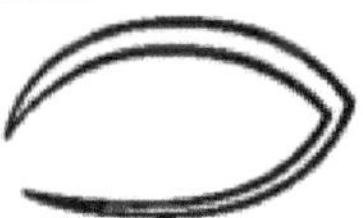

Preencha os contornos das pestanas com cor preta, como mostra o exemplo abaixo.

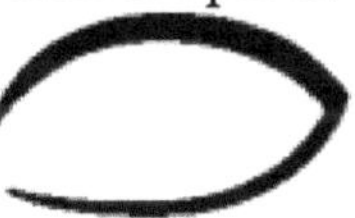

Em seguida, adicione as pestanas. Desenhe-as mais grossas em direção à base e mais finas em direção às pontas. As pestanas, neste caso, são bastante espessas; por isso, pode ser necessário fazer vários traços para cada uma delas.

Ao contrário dos exemplos anteriores, estas pestanas semi-realistas não são simétricas, pelo que acabam por ser diferentes para cada olho.

Além disso, para evitar o aspeto de boneca, tente também desenhá-las a intervalos ligeiramente diferentes umas das outras e fazer com que algumas pestanas se sobreponham às outras.

Um erro comum é desenhar as pestanas como se fossem linhas rectas, por isso certifique-se de que as desenha curvadas para as manter o mais naturais possível.

Capítulo 7: Como desenhar a boca das personagens de manga

As bocas das personagens de manga são muito simples e fáceis de desenhar. Os lábios e as bocas na manga são geralmente reduzidos a esboços simples devido ao aspeto visualmente marcante das personagens. De seguida, explicamos as várias expressões bucais do estilo manga a partir da vista frontal.

Se desenhadas corretamente, as bocas podem realmente ajudar a transmitir o carácter e o estado de espírito de uma personagem. As bocas e os lábios são também as características faciais que mais podem mudar devido a uma determinada expressão.

A boca de uma personagem de manga deve ser colocada a meio caminho entre o nariz e o queixo. Em geral, se quiser criar uma boca simples, desenhe uma linha horizontal ligeiramente curvada para esboçar um sorriso.

Depois, desenhe outra linha ligeiramente mais pequena por baixo da primeira para dar a aparência de um lábio inferior.

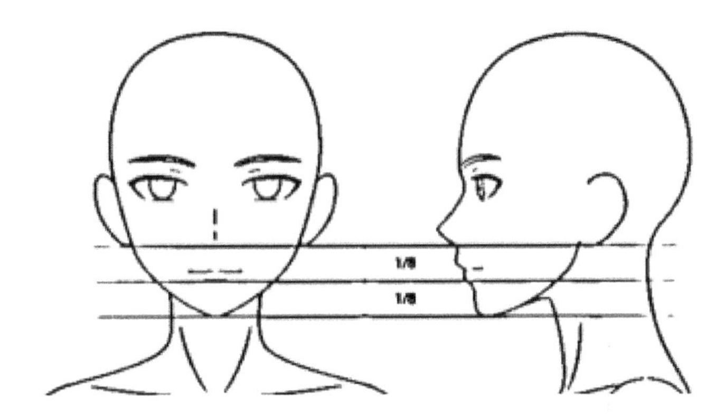

Embora, a um nível geral, as bocas ao estilo manga sejam, por isso, bastante fáceis de desenhar, também podem, por vezes, ser um pouco difíceis de renderizar, uma vez que é necessário manter um equilíbrio entre mostrar a emoção desejada e manter o estilo.

Em seguida, encontrará algumas das expressões de boca mais comuns na manga.

Exemplo de como desenhar uma boca aberta

Para desenhar uma boca aberta, é necessário desenhar também o maxilar inferior.

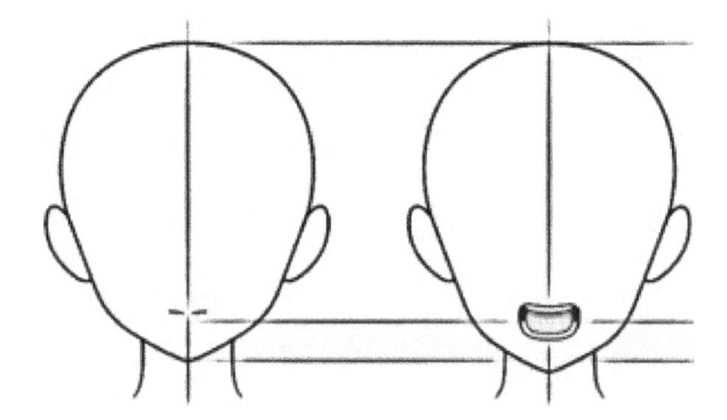

Exemplo de como desenhar uma boca de manga com uma expressão normal

Desenhe a boca com uma pequena curva que seja proporcional à cabeça. Embora seja opcional, também pode deixar um pequeno espaço no meio.

Exemplo de como desenhar uma boca sorridente de manga

Para conseguir esta expressão, desenhe a boca mais larga do que no exemplo anterior e com os cantos levantados. Basicamente, desenhe uma curva maior com a parte exterior levantada para cima.

Exemplo de como desenhar uma boca de manga séria

Pode desenhar este tipo de boca para personagens zangadas. Desenhe a boca mais ou menos como se fosse a inversão da expressão normal, mas com uma curva maior do que a sua forma normal.

Exemplo de como desenhar uma boca surpreendida

Pode utilizar este esboço de boca para uma personagem que tenha um interesse súbito em algo ou que fique surpreendida e reaja subitamente a uma notícia ou incidente inesperado. Neste caso, a boca será desenhada aberta com a fila superior de dentes ligeiramente visível.

Como a boca está aberta, é necessário baixar o maxilar. Desenhe a boca com uma forma semelhante a um retângulo com cantos arredondados, mas ligeiramente mais estreita na parte superior.

Sombreie o interior da boca de modo a que fique suficientemente escuro, realçando o contraste com os dentes brancos.

Exemplo de como desenhar uma boca a gritar

Este exemplo de uma boca aberta e a gritar é ligeiramente mais complexo do que os que vimos juntos até agora.

Quando a boca está muito aberta, como neste exemplo, é necessário desenhar o maxilar ainda mais baixo do que na expressão em que está ligeiramente aberto.

Desenhe a boca propriamente dita, começando por delinear a sua forma geral e depois adicionando os contornos dos dentes e da língua.

Tenha em atenção que, quando sombreia ou colore o interior da boca, a língua deve ser um pouco mais clara e os dentes devem ser completamente brancos.

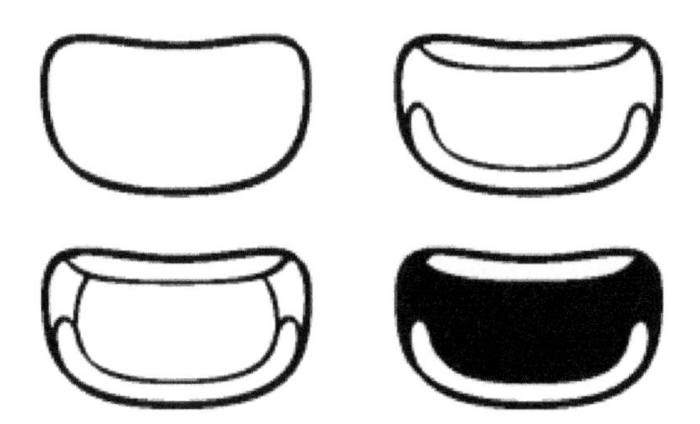

Exemplo de como desenhar uma boca com uma expressão intrigada

Este tipo de expressão é para uma personagem confusa que está a pensar ou a tentar lembrar-se de algo. Quando a boca está aberta, deve baixar o maxilar durante o esboço. Faça com que a forma da boca se assemelhe a um O. Pode também adicionar uma pequena curva por baixo para criar a ideia de um lábio inferior.

Sombrear o interior da boca no final do desenho para realçar a expressão.

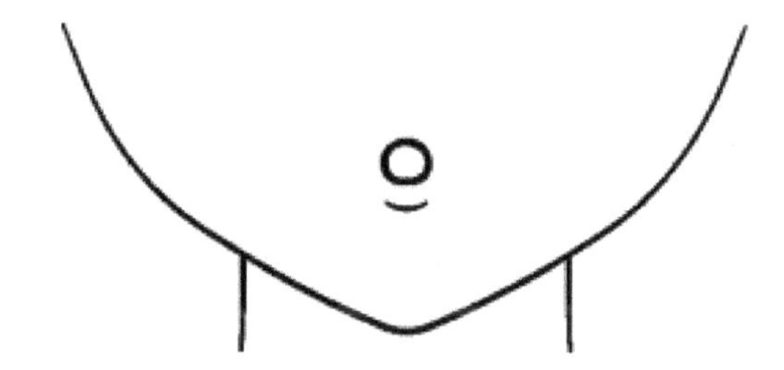

Exemplo de como desenhar uma boca sorridente com os dentes à mostra

Esta é outra variação comum de um sorriso ao estilo manga. Na imagem abaixo, vê-se a boca de uma personagem a sorrir e a mostrar os dentes.

Este tipo de sorriso pode ser desenhado para uma personagem genuinamente feliz, mas também pode ser frequentemente utilizado como um sorriso falso ou irónico.

Desenhe esta boca como se fosse uma fatia de melancia achatada. Pode também acrescentar um espaço entre os dois lados, tanto em cima como em baixo.

Também pode dar apenas uma ideia dos dentes adicionando algumas curvas de cada lado. Tente desenhá-los de forma a que, se os estender, se encontrem no meio, formando uma curva suave.

Exemplo de como desenhar a boca com expressão de malícia

Para além de mostrar uma expressão astuta, este tipo de boca também é por vezes utilizado para dar a uma personagem uma aparência mais felina ou animalesca. Desenhe este tipo de boca como uma onda que se eleva em direção aos cantos e volta para o centro. Tente manter esta onda bastante simétrica em ambos os lados.

Exemplo de como desenhar uma boca de zombaria

Esta expressão mostra uma personagem com más intenções ou simplesmente dá-lhe um aspeto competitivo. Desenhe esta expressão de forma semelhante a uma boca sorridente, mas inclinada numa das extremidades e com o lábio superior mais elevado.

Para enfatizar que se trata de um sorriso, só pode dar uma pequena sugestão de dentes de um lado. Também pode desenhar um dente afiado na forma de uma linha ligeiramente curva, se quiser tornar o sorriso mais travesso.

Exemplo de como desenhar uma boca perturbada

Este tipo de boca pode representar uma expressão de aborrecimento ou de grande embaraço. Para este tipo de expressão, basta alargar a boca e desenhá-la como se fosse composta por ondas. Ao contrário da boca inteligente, esta não precisa de ser simétrica.

Também pode desenhar uma pequena curva invertida para representar o lábio inferior.

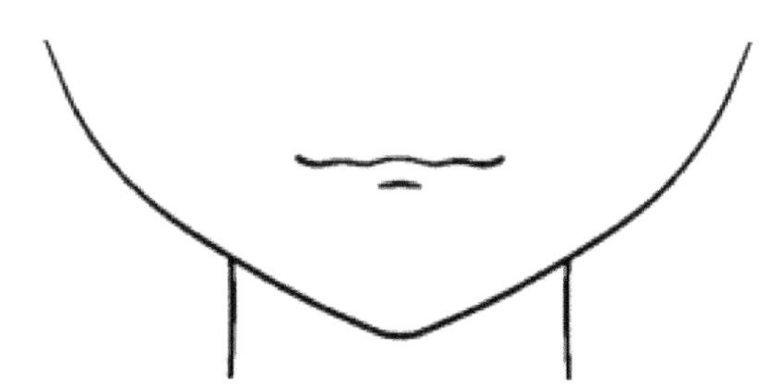

Exemplo de como desenhar uma boca envergonhada

Esta representa a expressão de uma personagem apanhada desprevenida a fazer algo que não quer que os outros vejam ou descubram.

Desenhar esta boca ligeiramente aberta, colocando o maxilar na parte inferior, e bastante larga. A parte inferior é um pouco mais larga do que a parte superior.

Exemplo de como desenhar uma boca criativa.

Trata-se de uma expressão criativa que uma personagem utiliza normalmente quando está a escrever, a desenhar ou a ter uma ideia brilhante.

Embora a boca pareça fechada, terá de ser ligeiramente aberta para deixar sair a língua. Por esta razão, mais uma vez, desenhe o maxilar ligeiramente mais baixo do que o normal.

Capítulo 8: Como desenhar os dentes das personagens de manga

Nesta parte, vou explicar como desenhar os dentes de personagens de manga com exemplos de desenho em vista lateral e frontal. Dar-vos-ei algumas dicas interessantes sobre como colocá-los dentro da boca e analisar os seus diferentes estilos.

Embora os dentes de manga simplificados possam parecer fáceis de desenhar, há algumas características críticas a considerar.

Aqui, encontrará explicações sobre como: desenhar dentes em diferentes vistas e ângulos, exemplos de dentes estilo manga com diferentes expressões faciais e como pode utilizar os dentes das personagens de manga para mostrar a personalidade de uma personagem.

Geralmente, desenhamos os dentes da manga sem pormenores completos de cada dente; em vez disso, são normalmente representados como uma única forma ou apenas com sugestões de dentes individuais.

As ocasiões em que desenhamos todos os dentes são raras, mas, nesse caso, são normalmente desenhados quase como dentes reais.

Um exemplo de posicionamento dos dentes com a boca aberta na vista lateral.

Quando a boca se abre como a cara gritante desenhada abaixo, a fila superior de dentes permanece na mesma posição em relação à cabeça. A fila inferior move-se juntamente com a mandíbula, mas a sua posição relativamente à própria mandíbula também não se altera.

Exemplo de como desenhar dentes de boca aberta em vista frontal

O exemplo abaixo é a vista frontal do rosto. Nesta perspetiva, os dentes tornam-se muito mais difíceis de desenhar; isto é especialmente verdade para a fila de baixo, uma vez que é difícil estimar a altura a que os dentes devem chegar ao longo do maxilar inferior neste ângulo.

Um bom truque é utilizar uma vista mais fácil para desenhar e depois estimar a posição da mesma parte do corpo numa vista mais complexa.

Neste caso, pode utilizar um desenho dos dentes na vista lateral e depois projetar uma série de linhas que lhe darão a colocação dos dentes na vista frontal.

Embora isto possa parecer muito trabalhoso, não é necessário criar um desenho detalhado da vista lateral, como fizemos no exemplo abaixo. Basta fazer um esboço simples para servir de contorno.

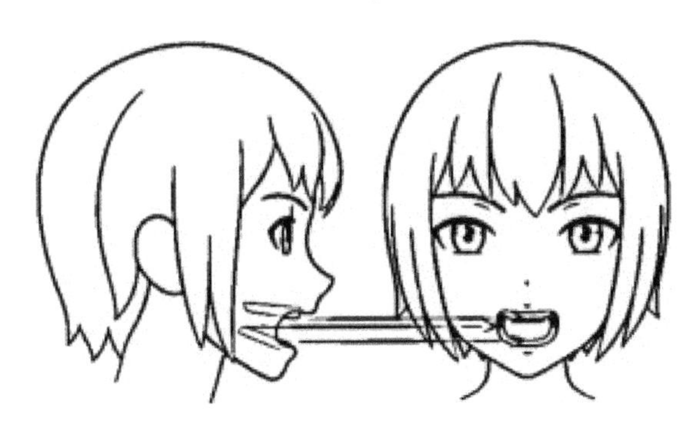

Exemplo de como desenhar dentes sorridentes

Um simples sorriso é provavelmente a emoção mais óbvia em que os dentes são normalmente desenhados. Para conseguir este efeito, pode dar uma ligeira sugestão da linha superior e inferior dos dentes, desenhando algumas linhas curvas de cada lado.

Exemplo de como desenhar os dentes de uma personagem assustada

Tal como no sorriso, pode mais uma vez dar apenas uma sugestão da linha que separa as filas de dentes superiores e inferiores.

Exemplo de como desenhar um sorriso na vista lateral

Um sorriso lateral é outra expressão facial comum na manga em que se mostram os dentes. Esta expressão é muitas vezes desenhada com uma sugestão do canino para enfatizar a natureza agressiva da expressão.

Exemplo de como desenhar os dentes de uma personagem zangada na vista lateral

É tal como os dentes do sorriso são muitas vezes desenhados com um dente afiado, semelhante a uma presa.

Exemplo de como desenhar dentes de manga no estilo Yaeba

O dente saliente é geralmente desenhado para mostrar um carácter enérgico e travesso. É também conhecido por Yaeba.

Para conseguir esta expressão, desenhe a boca aberta mas com apenas um dente afiado, como se fosse uma presa, num só lado da boca.

Além disso, lembre-se de que, como esta é uma forma muito particular de desenhar dentes, a colocação correcta de um dente torna-se menos importante, mas deve tentar ser, pelo menos, um pouco exato e preciso.

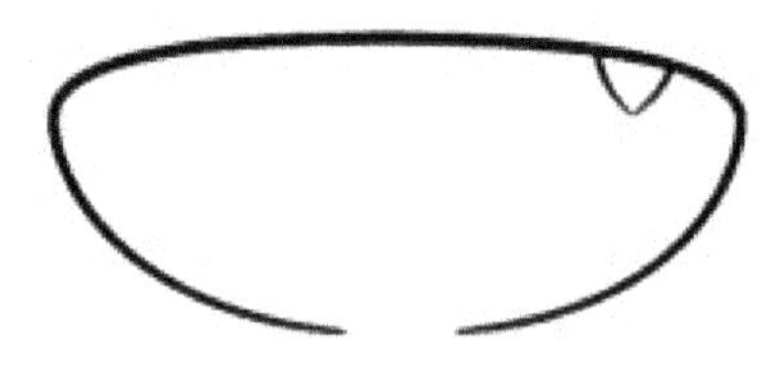

Exemplo de como desenhar vários dentes afiados ou estilo tubarão

Os dentes afiados como os de um tubarão nas personagens de manga são muitas vezes sinónimo de uma personalidade competitiva. Algumas personagens podem tê-los como uma caraterística permanente, enquanto outras podem tê-los apenas em certas expressões.

Para este tipo de dentes, pode desenhá-los praticamente como uma serra ou como os verdadeiros dentes de tubarão.

Capítulo 9: Como desenhar o cabelo das personagens de manga

Depois de aprender a desenhar a cabeça e os traços faciais das personagens, o passo seguinte é compreender e aprender a desenhar o cabelo das personagens.

O cabelo de manga pode ser de diferentes estilos, formas, cores e comprimentos.

Lembre-se sempre de que os olhos e o cabelo são as características que tornam as personagens de estilo manga únicas; por isso, desenhá-los corretamente e com precisão ajudá-lo-á a alcançar o aspeto desejado da sua personagem.

Isto porque o cabelo, tal como os olhos, representa a singularidade e a personalidade da personagem. Antes de começar a desenhar o cabelo, é uma boa ideia compreender primeiro a forma da cabeça e da linha do cabelo da sua personagem, como verá nos exemplos abaixo.

Pode ser muito útil desenhar a cabeça antes de começar a desenhar o cabelo, especialmente se for um principiante.

Normalmente, a forma do topo da cabeça na manga é bastante próxima da forma de uma cabeça real, mas também pode variar consoante o estilo que se pretende utilizar.

A cabeça pode ser desenhada com uma forma ligeiramente oval de lado, mas lembre-se que deve ser menos oval do que uma cabeça real. De frente, o topo da cabeça assemelha-se a um semicírculo.

O cabelo da manga é muitas vezes desenhado com base em penteados reais, mas tende a ser em tufos em vez de madeixas individuais. Uma boa razão para isto é que, se estiver a desenhar vários painéis de uma manga, será simplesmente demasiado demorado desenhar algo demasiado detalhado.

Uma boa abordagem para desenhar o cabelo das personagens é dividi-lo em diferentes partes, como a frente, os lados, a parte de trás e o topo.

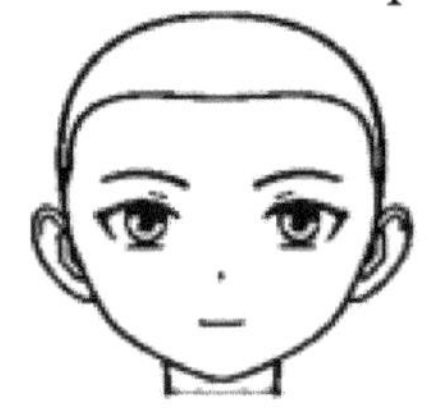
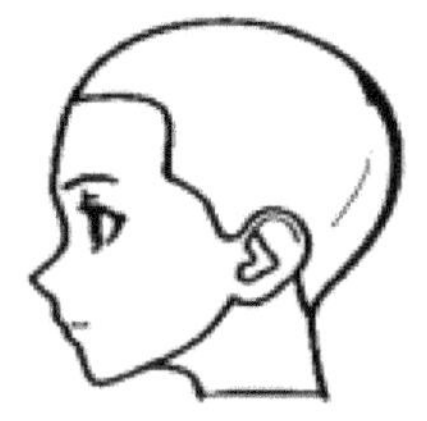
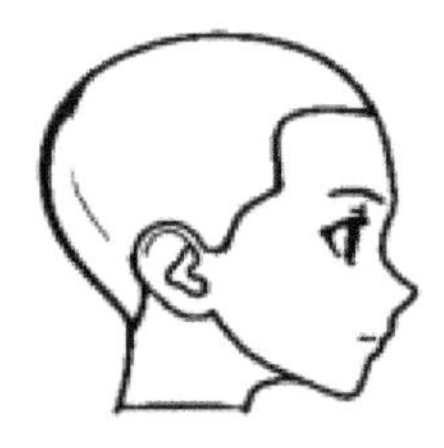

Exemplo de como desenhar um cabelo curto

O cabelo de manga é normalmente desenhado como uma série de tufos, semelhante ao aspeto do cabelo real quando molhado. Desenhe o cabelo curto (tanto masculino como feminino) com uma forma semelhante à do exemplo de linha do cabelo abaixo, com pequenos tufos nas pontas. Para dar ao seu personagem uma aparência mais natural, desenhe algumas mechas apontando ligeiramente umas para as outras e outras afastadas umas das outras.

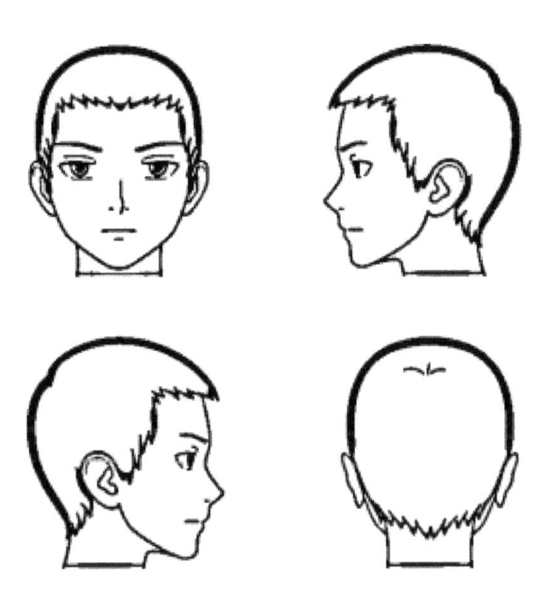

Exemplo de como desenhar um cabelo de comprimento médio

Desenhar um cabelo de comprimento médio é semelhante a desenhar um cabelo curto. A única diferença é que, neste caso, pode desenhar o cabelo em tufos muito maiores.

Com o cabelo um pouco mais comprido, pode desenhar as patilhas como secções separadas, para além do cabelo lateral, superior e para trás.

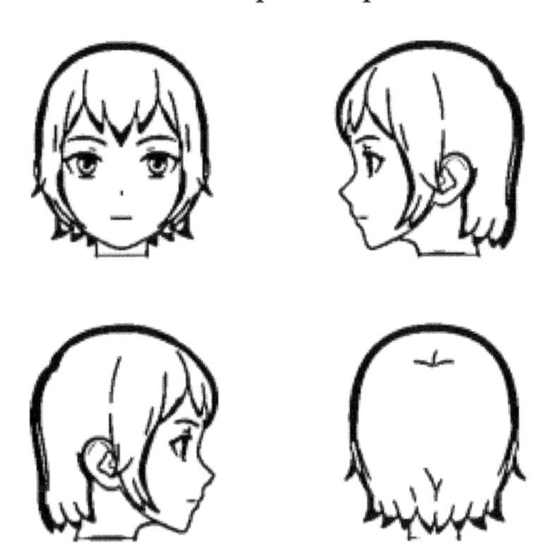

Exemplo de como desenhar o cabelo penteado para trás

A linha do cabelo deve ser realçada quando o cabelo é puxado ou penteado para trás, como no exemplo que vê abaixo. Assim, pode compreender como é importante conhecer a forma básica da linha do cabelo para desenhar este penteado.

Quando desenhar este penteado, desenhe algumas linhas irregulares para lhe dar um aspeto mais natural. Mesmo os cabelos verdadeiros não estão todos perfeitamente alinhados.

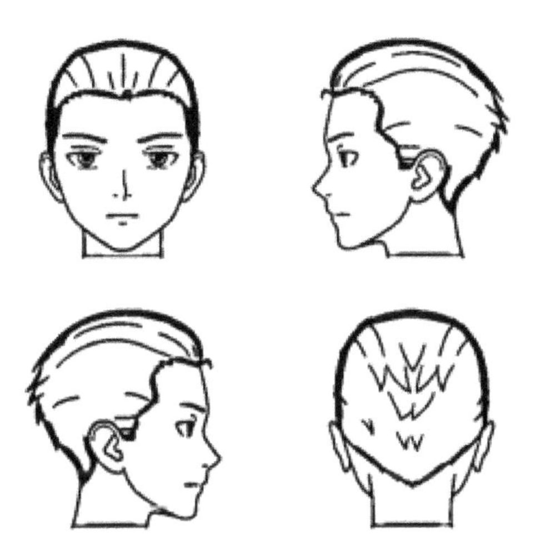

Exemplo de como desenhar um cabelo bem penteado

O cabelo bem penteado, tal como o popular corte hime usado frequentemente em várias mangas, dá ao espetador a impressão de que a personagem está a usar uma espécie de capacete na cabeça.

Para que o cabelo pareça um pouco mais natural, desenhe algumas divisões no cabelo que sejam mais largas na parte inferior e estreitas à medida que sobem.

Exemplo de como desenhar tranças

Desenhe algumas linhas ao longo da linha do cabelo para mostrar que as tranças estão a puxar o cabelo à volta. No exemplo da vista traseira, pode desenhar uma linha entre o cabelo e o local onde o cabelo está a ser puxado em direcções diferentes se desenhar várias tranças.

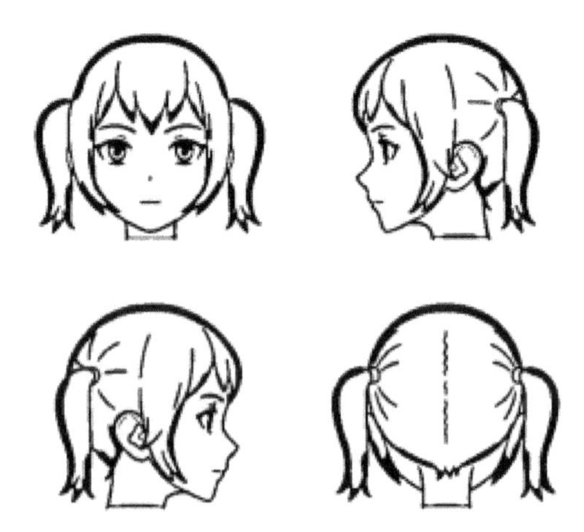

Como desenhar o cabelo a partir da vista ¾

Desenhar o cabelo a partir de diferentes ângulos, em vez de apenas a partir da vista frontal ou lateral, pode tornar-se um pouco mais complicado. Pode tornar o processo de desenho mais manejável se pensar no cabelo como estando dividido em diferentes secções. Esta secção ensinará como fazer os diferentes penteados a partir da vista 3/4.

Mais uma vez, o cabelo deve ser dividido em secções: secção frontal, secções laterais, secção posterior e secção superior.

Exemplo de como desenhar um cabelo curto natural na vista ¾

Este primeiro exemplo é de um cabelo feminino bastante curto desenhado em grandes tufos, o que é típico da manga.

Desenhar a forma da cabeça.

Comece por desenhar a forma da cabeça antes de desenhar o cabelo. Se fizer um esboço geral da cabeça, será mais fácil determinar o volume do cabelo, evitando assim erros ao desenhar o cabelo da sua personagem.

Adicionar a linha do cabelo.

Depois de desenhar a cabeça, adicione a linha do cabelo. A linha do cabelo ajudá-lo-á a determinar onde colocar as secções frontais e laterais do cabelo. Desenhe a secção frontal do cabelo. Para este penteado, comece com a secção frontal do cabelo. Desenhe os tufos centrais virados mais para baixo e os tufos laterais virados para os respectivos lados.

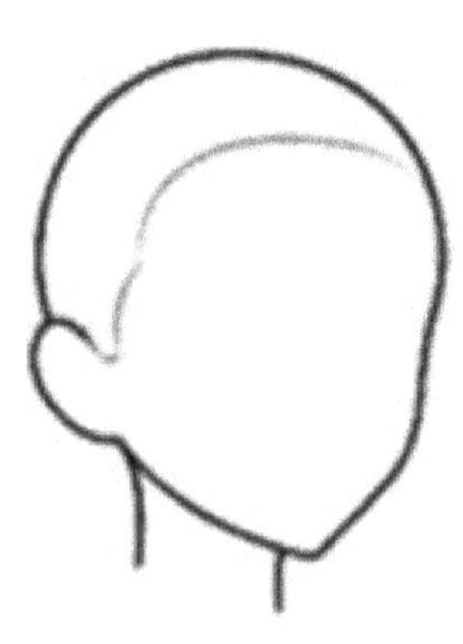

Comece pela secção frontal do cabelo.

Para este penteado, comece com a secção frontal do cabelo e, em seguida, desenhe as mechas do meio viradas para baixo e as mechas laterais viradas para os respectivos lados.

Acrescentar a secção lateral.

Em seguida, adicione a secção lateral com a que está no fundo parcialmente escondida pela cabeça. Apague a linha do cabelo depois de terminar este passo.

Desenhe as partes de trás e de cima do cabelo.

Agora, desenhe a parte de trás e a parte de cima do cabelo. Por fim, adicione a última secção de cabelo, com a secção superior a seguir um pouco a forma da cabeça e a terminar com fendas na parte inferior.

Apagar as linhas desnecessárias.

Quando acabares de desenhar o cabelo, apaga todas as partes da cabeça cobertas por ele, para teres um desenho limpo. Se tiver feito linhas claras, pode passar por cima delas várias vezes para as tornar mais escuras. Por fim, pode também aplicar um sombreado claro.

Exemplo de como desenhar um cabelo curto natural ao vento na vista ¾

Comece o desenho, como de costume, desenhando primeiro um contorno básico da forma da cabeça.

Desenhar a linha do cabelo.

Depois, desenhe a linha do cabelo. Deve desenhar a linha do cabelo seguindo os contornos do rosto.

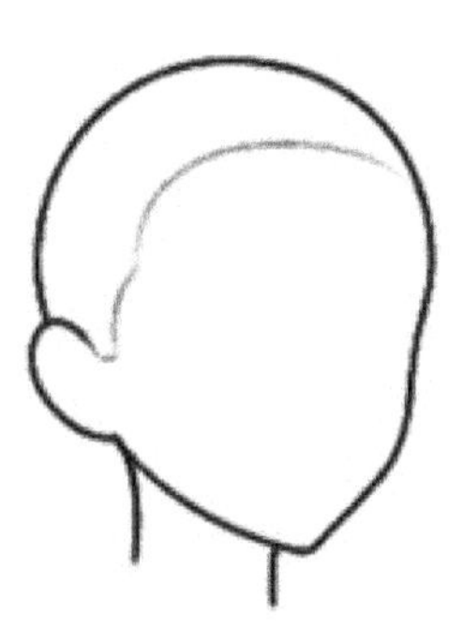

Desenhe a parte da frente do cabelo.

A próxima coisa que deve fazer é desenhar a secção frontal do cabelo. Um aspeto importante a ter em conta é que, ao desenhar o cabelo ao vento, a base de cada secção não deve mover-se.

Desenhe a parte da frente com a base dos tufos a partir do mesmo ponto que no exemplo anterior, mas desenhe as formas dos tufos a balançar na direção do vento.

Neste caso, o cabelo ondulará para a frente e ligeiramente para a esquerda no lado da cabeça que está mais afastado do observador.

Desenhe os lados do cabelo.

À semelhança da secção da frente, desenhe os lados do cabelo a partir do mesmo ponto do exemplo estático, mas balançando-os na direção do vento.

Depois de desenhar os lados, pode apagar a linha do cabelo.

Desenhe a última secção do cabelo.

Agora desenhe a última secção do cabelo. Pode desenhar a última secção de cabelo traçando a mesma forma que a cabeça.

No entanto, a parte inferior desta secção ficará inclinada para a frente, o que significa que a parte à volta da orelha visível ficará mais curvada em direção à cabeça. Também pode adicionar outra pequena parte da secção inferior e posterior do cabelo que sobressai no lado oposto da cabeça, por baixo do topete lateral.

Apagar as linhas desnecessárias.

Por fim, termine o seu desenho apagando as partes da cabeça que estão cobertas pelo cabelo. Pode também aplicar uma sombra clara para fazer sobressair um pouco mais o cabelo.

Exemplo de como desenhar um rabo-de-cavalo na vista ¾.

O rabo-de-cavalo é outro penteado bastante comum nas personagens de manga, mas os passos para o desenhar serão ligeiramente diferentes dos exemplos anteriores.

Comece por desenhar o contorno básico da cabeça.

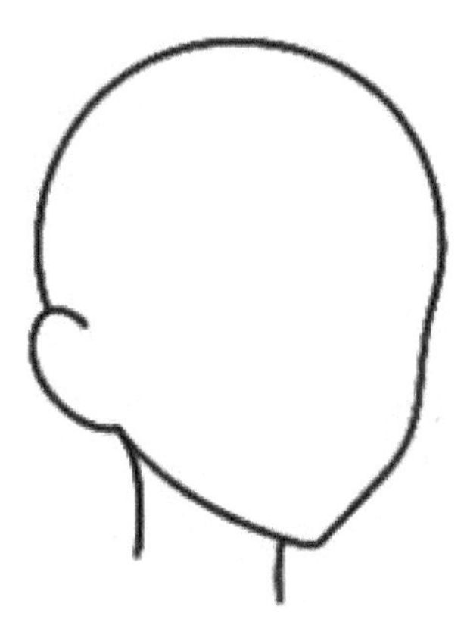

Desenhar a linha do cabelo.

Desenhe as partes de trás e de cima do cabelo.

Ao contrário dos exemplos anteriores, pode começar a desenhar o penteado do rabo-de-cavalo com a parte de trás do cabelo.

Uma vez que esta parte do cabelo é puxada à volta da cabeça, não terá muito volume, por isso aproxime-a o suficiente da linha do cabelo da cabeça.

Desenhe a parte da frente do cabelo.

Adicione a secção frontal do cabelo em tufos bastante grandes, com os do centro a apontar para baixo. Desenhe os dos lados a apontar para os respectivos lados. Quando terminar, apague as partes da cabeça e da linha do cabelo cobertas por esta secção.

Desenhar o rabo-de-cavalo.

Adicione o rabo-de-cavalo em forma de ponto de interrogação que se divide em vários tufos no final. Deste ângulo, uma boa parte deve ficar escondida atrás da cabeça, por isso desenhe-a em conformidade.

Terminar o desenho do cabelo.

Para terminar o penteado, pode acrescentar apenas uma ou duas dobras à cauda. Também pode matizar ligeiramente o cabelo.

Exemplo de como desenhar um rabo-de-cavalo ao vento na vista ¾.

Comece, como nos outros exemplos, por desenhar a cabeça.

Desenhar a linha do cabelo.

Adicione a linha do cabelo como mostra o exemplo abaixo.

Desenhe a parte de trás e a parte de cima do cabelo. Apague a parte da cabeça coberta pelo cabelo.

Desenhe a parte da frente do cabelo.

Além disso, neste exemplo, o cabelo será movido para a frente e ligeiramente para o lado da cabeça, virado para longe da vista do observador.

Desenhe todas as mechas levantadas, mas com algumas curvadas para baixo e outras para cima, para que o cabelo pareça mais natural.

Quando terminar, apague as partes da cabeça e da linha do cabelo cobertas por esta secção de cabelo.

Desenhar o rabo-dc-cavalo.

Desenhe o rabo-de-cavalo a balançar mais ou menos na mesma direção em que o cabelo se junta na secção do cabelo e faça as divisões na sua extremidade em direcções aleatórias.

Também pode desenhar mais alguns tufos a sair de trás para dar um ar mais desarrumado ao cabelo.

Acabar de desenhar o cabelo.

Para terminar o cabelo, adicione uma ou duas dobras na cauda e, em seguida, sombreie ligeiramente o cabelo.

Exemplo de como desenhar tranças na vista ¾.

Este penteado é semelhante ao rabo-de-cavalo. Comece, como sempre, por desenhar o contorno da cabeça.

Em seguida, desenhe a linha do cabelo.

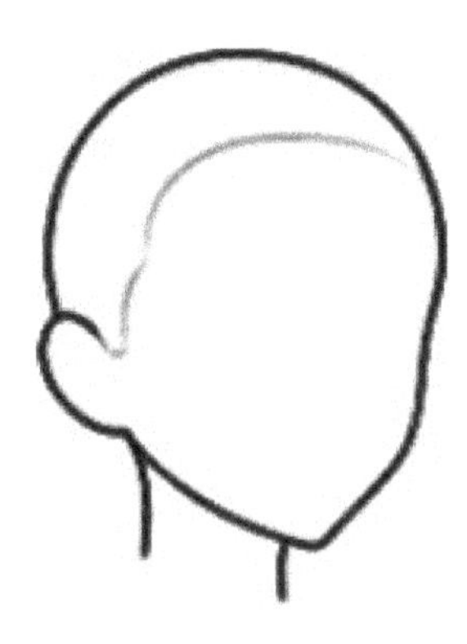

Desenhe as partes de trás e de cima do cabelo.

Tal como no rabo-de-cavalo, comece o desenho com a parte de trás do cabelo. Uma vez que o cabelo vai ser puxado em duas direcções, desenhe-o com duas curvas que se juntam perto do topo da cabeça.

Quando terminar, apague a parte da cabeça coberta por este cabelo.

Desenhe a parte da frente do cabelo.

Pode desenhar a secção frontal do cabelo exatamente como no exemplo do rabo-de-cavalo, em grandes tufos com os do centro virados para baixo e os de cada lado virados mais para os respectivos lados.

Apague as partes da cabeça e da linha do cabelo que o cabelo irá cobrir.

Desenhar as tranças.

Desenhe-as ligeiramente mais largas para cima e mais estreitas para baixo. Quando terminar, apague a parte da cabeça coberta pelas tranças na parte da frente.

Terminar o desenho.

Para terminar o penteado, comece por acrescentar uma linha de separação no centro do cabelo, onde este é puxado em direcções opostas. Em seguida, faça alguns vincos nas tranças. Pode desenhá-las praticamente como um ziguezague.

Também pode acrescentar um tom claro para completar o cabelo.

Exemplo de como desenhar tranças ao vento na vista ¾.

Mais uma vez, desenhe um contorno básico da cabeça.

Desenhar a linha do cabelo.

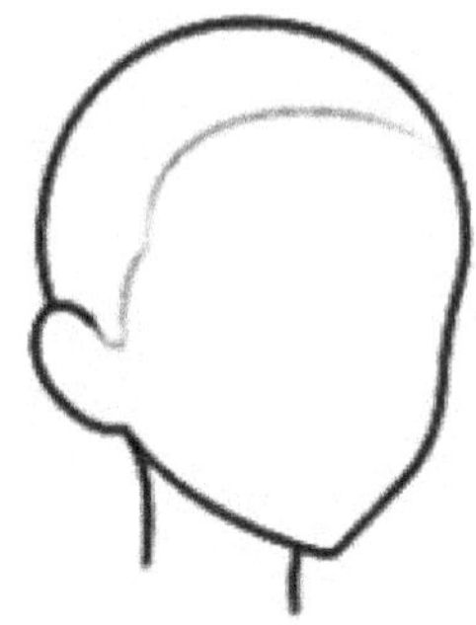

Desenhe as partes de trás e de cima do cabelo.

Desenhe a parte de trás/ e a parte de cima do cabelo como no exemplo anterior, ou seja, em duas curvas que se juntam perto do topo da cabeça.

Apague a parte da cabeça coberta por este cadeado quando tiver terminado de a desenhar.

Desenhe a parte da frente do cabelo.

Mais uma vez, pode desenhar a parte da frente do cabelo como descrito no exemplo do rabo-de-cavalo.

Apague as partes da cabeça e da linha do cabelo cobertas por esta parte do cabelo.

Desenhar as tranças.

Desenhe ambas as tranças balançando na direção do vento para a frente e ligeiramente para o lado oposto da cabeça.

Apagar a parte da cabeça coberta pelo rabo-de-cavalo da frente.

Terminar o penteado.

Para terminar, adicione a linha de separação no topo da cabeça para mostrar que o cabelo está a ser puxado em direcções diferentes. Também pode acrescentar alguns vincos a cada rabo-de-cavalo e alguns tons básicos.

Exemplo de como desenhar um cabelo comprido na vista ¾.

Comece por desenhar um contorno simples da cabeça.

Desenhar a linha do cabelo.

Desenhe a parte da frente do cabelo.

Desenhe a secção frontal do cabelo com os tufos de cabelo do meio a apontar para baixo e os tufos laterais a apontar para os lados.

Desenhe a secção lateral do cabelo.

Desenhe as secções laterais dividindo-se em pequenos tufos em direção às suas extremidades, com o do lado oposto da cabeça parcialmente escondido.

Pode apagar a linha do cabelo depois de terminar este passo.

Desenhe as partes de trás e de cima do cabelo.

Desenhe esta parte com o cabelo a seguir a forma da cabeça e depois a espalhar-se à medida que desce em direção ao pescoço.

Termine o seu desenho.

Para terminar o desenho, apague primeiro as partes da cabeça cobertas pelo cabelo e, em seguida, adicione uma sombra clara.

Exemplo de como desenhar cabelos compridos ao vento na vista ¾.

Desenhe o contorno básico da cabeça.

Desenhar a linha do cabelo.

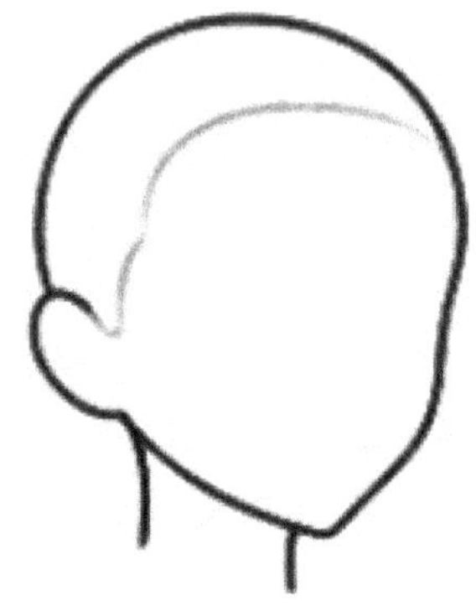

Desenhe a parte da frente do cabelo.

O cabelo será ondulado para a frente e ligeiramente para o lado oposto da cabeça.

Mais uma vez, certifique-se de que desenha a base dos tufos de cabelo mais ou menos no mesmo local que no exemplo estático, mas desenhe os tufos a balançar na direção do vento.

Desenhe a secção lateral do cabelo.

Puxe os lados do cabelo na direção do vento, à semelhança da secção da frente.

Apague a linha do cabelo depois de terminar esta parte do desenho.

Desenhe as partes de trás e de cima do cabelo.

Desenhe a secção superior desta madeixa de cabelo a seguir a forma da cabeça e a secção inferior a balançar na direção do vento. Acrescente alguns tufos bastante compridos na extremidade que se curvam em direcções ligeiramente diferentes.

Acabar de desenhar o cabelo.

Para terminar o desenho, primeiro, apaga as partes da cabeça que estão cobertas pelo cabelo. De seguida, pode acrescentar algumas dobras de cabelo. Por fim, pode acrescentar uma sombra clara que ajude o cabelo a destacar-se um pouco mais do resto da cabeça.

Como desenhar as madeixas de um cabelo de manga

As madeixas do cabelo são a luz que se reflecte nelas. A cor das madeixas pode mudar consoante a cor da fonte de luz, mas geralmente tendem a ser brancas. As madeixas de cabelo de manga são frequentemente muito simplificadas e bastante fáceis de desenhar. Nesta secção, vou mostrar-lhe várias formas comuns de desenhar madeixas de cabelo manga.

Exemplo de como fazer madeixas de cabelo de manga simples

O tipo mais simples de realce de cabelo utilizado na manga pode ser desenhado simplesmente como uma forma simples colocada na parte superior do cabelo.

Para este tipo de realce no cabelo, basta desenhar duas linhas para indicar a parte superior e inferior do realce do cabelo e, em seguida, deixar a área branca ou colori-la com uma cor brilhante.

Exemplo de como processar o efeito de desfocagem no cabelo de personagens de manga

O realce do cabelo sombreado é semelhante ao exemplo anterior, mas as extremidades são esbatidas e sombreadas para obter uma transição suave entre o realce e a cor do cabelo.

Desenhar este tipo de realce pode ser um pouco complicado. Se estivesse a desenhar no papel, teria de desenhar um par de linhas para indicar os limites do realce e, em seguida, esbater para dentro a partir dessas linhas.

Exemplo de como criar um cabelo de manga realista através de madeixas

Este tipo de madeixas é menos estilizado e mais próximo das madeixas do cabelo natural.

Para desenhar um realce mais realista como este, pode criá-lo enquanto pinta o cabelo e deixar uma área branca aleatória ou delinear ligeiramente o realce antes de pintar o cabelo.

Como desenhar tranças para personagens de manga

Neste pequeno exemplo, aprenderá, passo a passo, a desenhar tranças de cabelo ao estilo manga.

O primeiro passo é aprender a desenhar a trança na sua personagem e examinar a sua forma. Embora a forma da trança pareça bastante simples de desenhar, pode ser confusa.

A forma de uma trança pode ser pensada como uma espécie de pilha de tijolos, como ilustrado na imagem abaixo.

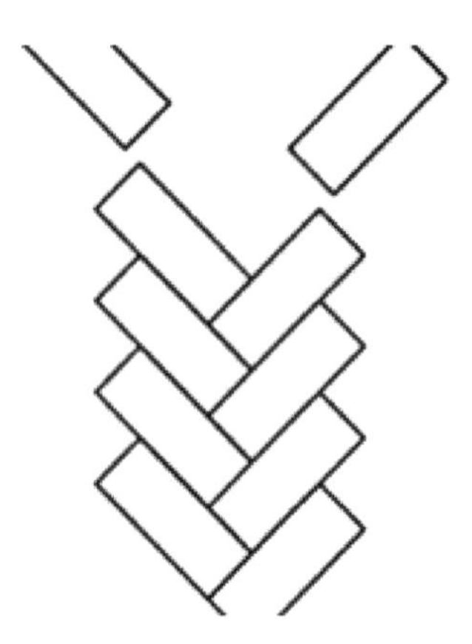

Exemplo de como desenhar uma trança que vai diretamente para baixo atrás das costas

O primeiro passo é desenhar o contorno e a forma básica da trança.

Para tranças que vão diretamente para baixo, basta desenhar uma linha vertical direita no centro da trança e depois desenhar duas linhas à volta que indicarão a forma exterior da trança. Também pode desenhar uma forma básica da cauda da trança.

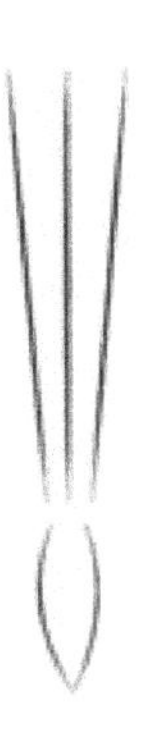

O segundo passo é desenhar as linhas interiores da trança. A partir do primeiro esboço da trança, desenhe mais duas linhas no interior que se aproximam da linha central. No final do desenho, a linha central será completamente apagada.

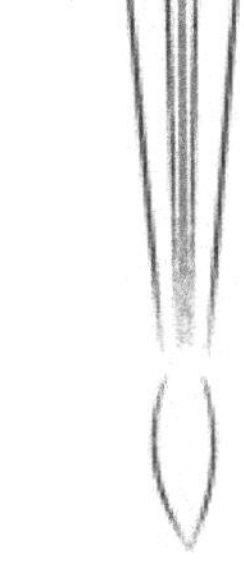

No terceiro passo, deve desenhar as linhas de construção. Projecte uma série de linhas rectas curtas, inclinadas para baixo, de cada linha exterior da trança para a linha interior. Este passo é necessário para dar a forma básica da trança.

No quarto passo, deve delinear a forma básica da trança. De seguida, pode desenhar a forma curva orgânica e natural da trança, como ilustrado na imagem abaixo.

O último passo é dar à sua trança a sua forma final. Nesta etapa, pode apagar todas as linhas desnecessárias e rever o seu desenho com um traço final mais pronunciado. Como retoque final, pode adicionar pequenos toques às curvas do cabelo no interior da trança.

Exemplo de como desenhar uma trança curva

Comece desenhando o contorno da trança curva básica. Para uma trança curva ao estilo manga, basta desenhar uma linha curva correspondente à curva que pretende que a trança tenha. À volta desta linha, desenhe linhas que representem a forma exterior da trança. Mais uma vez, pode adicionar a forma básica da cauda da trança no final.

O segundo passo é desenhar as linhas interiores da trança. Desenhe outro conjunto de linhas curvas entre a forma exterior da trança e a sua linha central.

As linhas em forma de tijolo devem ser adicionadas na terceira fase. Projetar uma sequência de linhas ligeiramente curvas a partir da linha interior para cada linha exterior da trança. Este passo é necessário para produzir a forma básica da trança curva. Nesta altura, pode retirar as linhas centrais.

Agora desenhe a curva básica da trança. Com base nas linhas de construção desenhadas anteriormente, pode desenhar a forma atual da trança.

Finalmente, pode passar para a forma final da sua trança. Tal como no exemplo da trança lisa, pode dar os toques finais, dando um leve toque no cabelo dentro da trança.

Como desenhar o cabelo das personagens movido pelo vento

Nesta secção, aprenderá a realizar o efeito do cabelo esvoaçado pelo vento a partir de duas perspectivas e a desenhá-lo através de exemplos simples.

O movimento do cabelo em várias direcções é frequentemente utilizado na manga para realçar efeitos dramáticos, descrever condições atmosféricas ou indicar o ângulo e, ocasionalmente, a velocidade dos movimentos de uma personagem.

No entanto, ser capaz de mostrar simultaneamente o movimento do cabelo de forma realista e manter o estilo manga pode ser um pouco complicado. Para simplificar as coisas, vou dar-vos alguns exemplos de desenhos bastante simplificados, dividindo o cabelo em diferentes partes.

Primeiro, comece por dividir o cabelo em diferentes partes. Ao desenhar um cabelo semelhante ao deste exemplo, é uma boa ideia pensar nele como estando dividido em frente, lados, atrás e topo.

Visualizar o cabelo como partes individuais em vez de um único conjunto de tufos pode facilitar muito a compreensão de como se devem mover quando soprados em direcções diferentes.

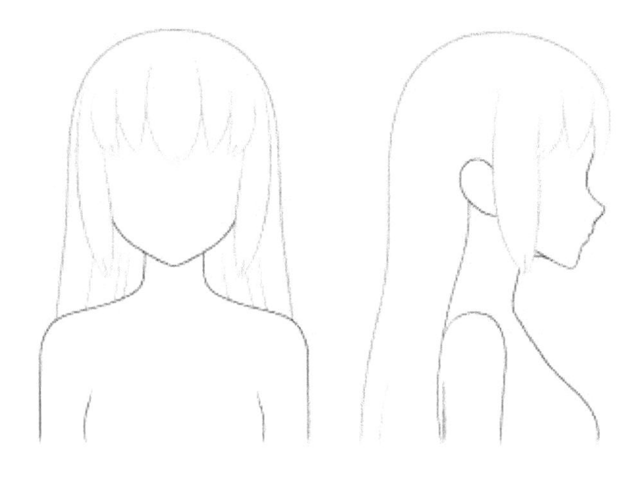

Feito isso, deve agora desenhar a parte que se relaciona com a linha do cabelo. É necessário saber a localização da linha do cabelo, porque partes ou mesmo toda a linha do cabelo podem tornar-se visíveis, dependendo da posição do cabelo.

A linha do cabelo também o ajudará a estimar onde as diferentes partes do cabelo estão presas à cabeça.

Além disso, este passo ajudá-lo-á a avaliar a forma como o cabelo se deve mover quando movido em diferentes direcções.

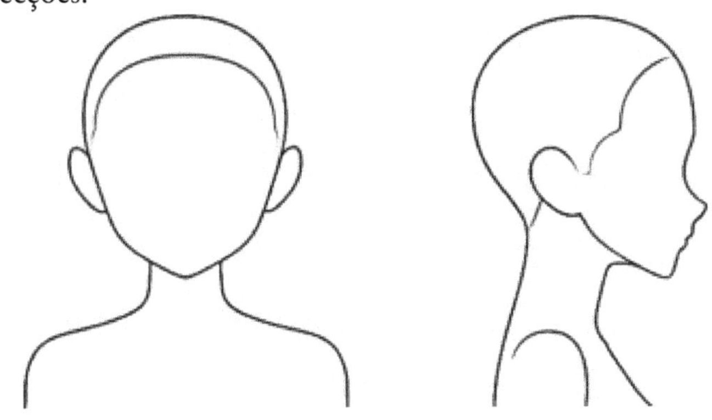

Exemplo de cabelo a mover-se para o lado

Quando se desenha um cabelo que é movido para o lado, a vista essencial para compreender este tipo de movimento é a vista frontal. Esta vista permitir-lhe-á mostrar facilmente a direção e a ondulação do cabelo.

Para começar o desenho, faça um esboço da cabeça e da linha do cabelo, bem como de todas as partes do corpo que estarão em contacto com o cabelo, com um leve traço de lápis.

Por cima deste esboço, desenhe as formas principais do cabelo.

Normalmente, o cabelo mais curto curva-se na direção do vento, enquanto o cabelo mais comprido forma ondas semelhantes a dobras. Assim, pode desenhar o cabelo curto à frente apenas curvado na direção do vento, enquanto o cabelo mais comprido atrás pode ser esboçado com uma forma ligeiramente mais ondulada. Desenhe a forma principal do cabelo atrás, dividindo-o em tufos mais pequenos no final. Tente desenhá-los em diferentes direcções e tamanhos para que pareçam naturais.

Agora podes terminar o desenho. Apaga todas as linhas da cabeça e do corpo cobertas pelo cabelo e acrescenta mais alguns tufos de cabelo que sobressaem por detrás da forma principal do cabelo das costas. Também podes acrescentar algumas linhas às dobras do cabelo.

Por fim, passe por cima das partes visíveis da cabeça e do corpo com linhas mais escuras para completar o desenho.

Exemplo de como desenhar o cabelo a voar para trás

A vista lateral da cabeça pode ser muito útil para dar a ideia de que o cabelo está a esvoaçar para trás devido ao vento.

Tal como no exemplo anterior, pode utilizar os mesmos mecanismos para desenhar este tipo de cabelo. Desenhe os tufos de cabelo mais curtos curvados para a parte de trás da cabeça, seguidos da forma principal do cabelo para trás.

Mais uma vez, desenhe alternadamente algumas mechas mais pequenas e mais finas no cabelo de trás depois de desenhar a forma principal. Apague as linhas que se sobrepõem, sombreie e termine o desenho.

Exemplo de como desenhar o cabelo a soprar para cima

Tanto a vista lateral como a frontal podem ser utilizadas para desenhar o cabelo a soprar para cima. Utilizaremos a vista frontal para este exemplo específico, mas os mesmos princípios aplicam-se ao desenho do cabelo na vista lateral.

A linha do cabelo torna-se muito importante quando se puxa o cabelo para cima, uma vez que vai precisar dela para determinar a posição das partes inferiores dos tufos de cabelo frontais e laterais.

Pode desenhar as extremidades inferiores dos tufos de cabelo da frente, sobrepondo-se apenas ligeiramente ao cabelo. Se, por outro lado, quiser mostrar que há um vento muito forte a soprar para cima, deve desenhar a linha do cabelo completamente à mostra. Para as partes inferiores dos cabelos laterais, desenhe algumas curvas, uma vez que o cabelo nessas áreas tende a crescer para baixo e, normalmente, não aponta para cima, mesmo que o vento sopre contra ele.

Para as pontas superiores dos cabelos frontais e laterais, pode aproximar os tufos e desenhá-los como a versão invertida do cabelo no seu estado natural.

Desenhe o cabelo para trás virado para cima, como se fosse uma cebola ou uma chama de vela a dividir-se para as pontas.

Mais uma vez, depois de desenhar as formas principais do cabelo, adicione mais algumas mechas ao fundo e apague todas as partes transparentes para completar o seu desenho.

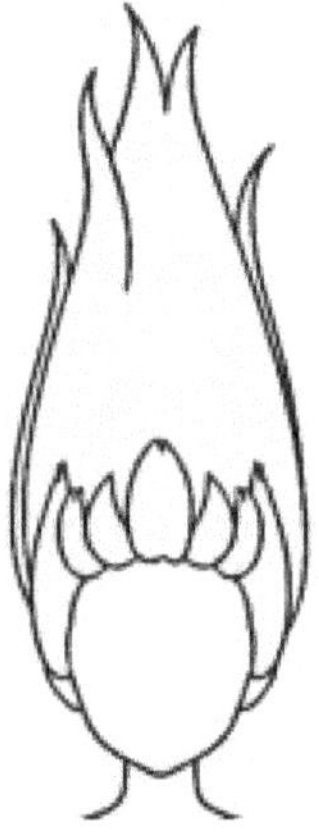

Exemplo de como desenhar o cabelo esvoaçante de lado e para a frente

Quando o cabelo é empurrado para a frente pelo vento, utilize a vista lateral e de perfil para melhorar a ideia.

Pode utilizar as sugestões do primeiro e segundo exemplos para desenhar os tufos de cabelo à frente e de lado.

As coisas podem ficar um pouco mais complicadas quando fores desenhar o cabelo na parte de trás. A menos que queira que o cabelo esconda o rosto, terá de colocar a maior parte do cabelo de trás no lado oposto do rosto. Pode desenhar esta parte como o cabelo para trás nos dois primeiros exemplos deste tutorial.

Para que o cabelo pareça mais natural, desenhe também uma parte do cabelo a soprar para trás e para a frente da cabeça. Pode desenhar esta parte mais pequena e colocá-la à volta do pescoço para manter o rosto livre.

Para completar o desenho, apague todas as linhas sobrepostas do rosto e do corpo e adicione algumas mechas e dobras extra às secções de fundo e de primeiro plano do cabelo das costas.

Capítulo 10: Como desenhar a cabeça e o rosto de uma personagem feminina de manga

Neste capítulo, vou explicar como desenhar a cabeça e o rosto de uma personagem feminina de manga, tanto de frente como de lado.

Antes de começar a desenhar, como já referi anteriormente, seria uma boa ideia delinear as características distintivas do estilo que a sua personagem deve assumir.

A maioria das personagens femininas de manga tendem a ter olhos grandes e redondos, uma boca pequena, nariz, queixo e um rosto bastante redondo. Como já deve ter adivinhado, os lábios são normalmente esboçados de forma ligeira ou não são desenhados de todo. O cabelo é geralmente apanhado em tufos, em vez de fios individuais, e muitas vezes tem um aspeto ligeiramente espigado.

Comece o seu desenho por esboçar o contorno geral da cabeça da sua personagem. Se quiser, pode desenhar uma linha vertical no centro da cabeça na vista frontal para garantir que ambos os lados ficam iguais.

Crie um círculo ou uma oval para a vista frontal e uma oval mais comprida para a vista lateral para o ajudar a desenhar perfeitamente a forma do topo da cabeça.

Para a vista frontal, pode projetar dois conjuntos de linhas que descem do círculo e que se curvam para se encontrarem e formarem o que será o queixo da sua personagem.

Para a vista lateral, crie uma indentação para indicar a zona do nariz e dos olhos. Desenhe uma linha a meio caminho entre a parte inferior do queixo e o centro da cabeça para representar o nariz. Pode ser traçada uma linha reta da ponta do nariz até ao queixo. Para a vista lateral, desenhe uma linha que se eleva a partir do queixo e depois se curva para trás até ao local onde ficarão as orelhas para fazer o maxilar inferior.

Desenhar o queixo estreito e pontiagudo, com uma pequena inclinação para baixo em ambas as vistas.

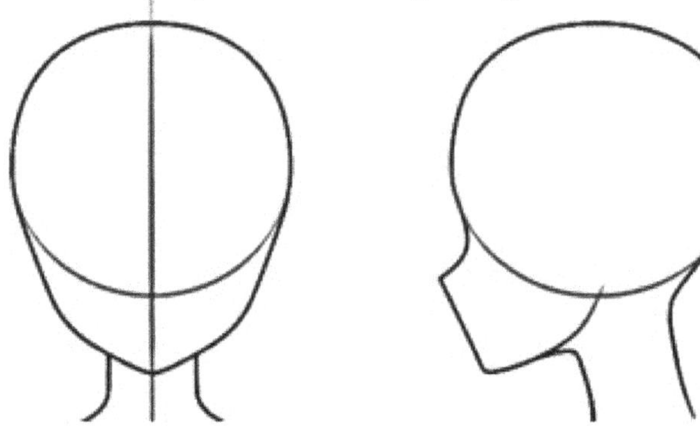

Adicione orelhas ao desenho do seu personagem. Para posicionar corretamente as orelhas da personagem, desenhe uma linha horizontal diretamente no centro da cabeça e depois desenhe outra linha, novamente na horizontal, entre a primeira linha e a linha do queixo. Coloque, então, as orelhas entre essas duas linhas.

Quanto à colocação das orelhas na vista lateral, estas serão colocadas ligeiramente mais para a parte de trás da cabeça do que para a frente.

Uma vez que o cabelo cobrirá as orelhas na etapa seguinte, não será necessário desenhar os seus pormenores interiores.

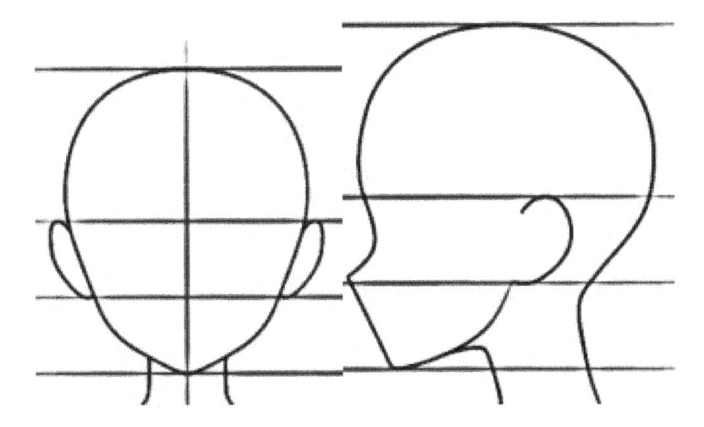

Agora é altura de desenhar os olhos. A altura dos olhos de manga pode variar consoante o estilo e o tipo de personagem; por isso, não há uma única forma de colocar a parte inferior. Para colocar os olhos na cabeça, pode usar a mesma linha vertical usada para colocar o topo das orelhas. Desenhe os olhos diretamente abaixo desta linha.

Se desenhar ambas as vistas ao mesmo tempo, certifique-se de que a colocação da parte inferior dos olhos em ambas as vistas é relativamente uniforme. Um erro comum que os artistas principiantes tendem a cometer quando desenham o mesmo rosto a partir de vistas diferentes é o desalinhamento ou o tamanho diferente das características faciais.

Além disso, para esta etapa, tal como para as orelhas, pode deixar os olhos sem desenhar os pormenores.

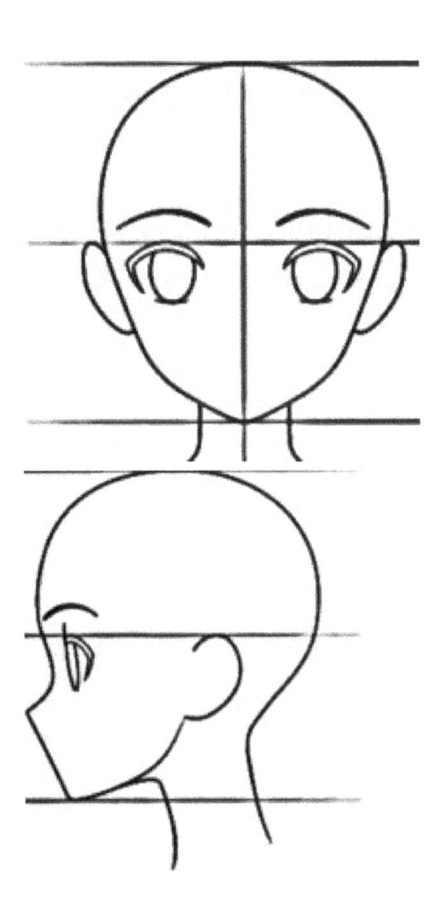

Como já foi referido, terá de colocar o nariz entre a metade horizontal do rosto e a parte inferior do queixo.

Pode praticamente desenhar o nariz na vista frontal, uma vez que será apenas um ponto; na vista lateral, um nariz de manga é normalmente quase um triângulo, pequeno e pontiagudo.

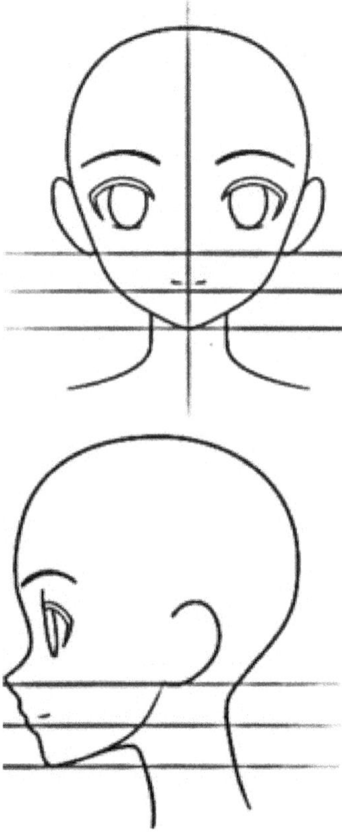

Agora pode desenhar a boca, que é um pouco mais complicada de colocar, porque primeiro tem de determinar a posição do lábio inferior. Além disso, lembre-se de que, quando se trata de manga, os lábios inferiores não são muitas vezes representados na vista frontal das personagens.

O lábio inferior deve ser posicionado entre o nariz e a parte inferior do queixo.

Em seguida, desenhar a boca ligeiramente acima desta linha de demarcação.

A boca pode ser desenhada com uma ou duas linhas. Quanto à vista frontal, normalmente desenha-se apenas uma linha com uma pausa no meio. Pode desenhar a boca com uma ligeira curva se quiser dar à sua personagem um ar mais alegre ou amigável.

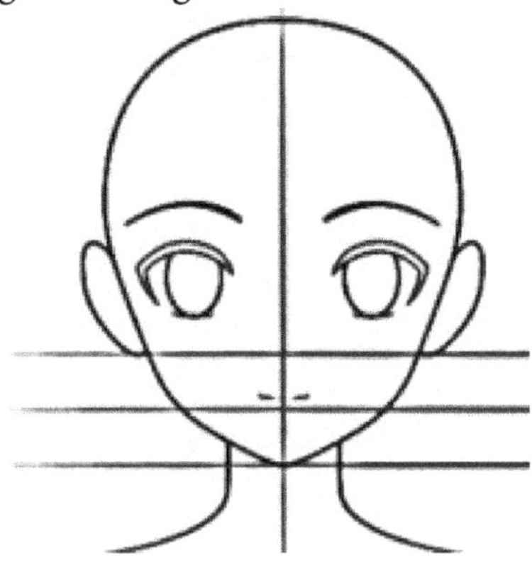

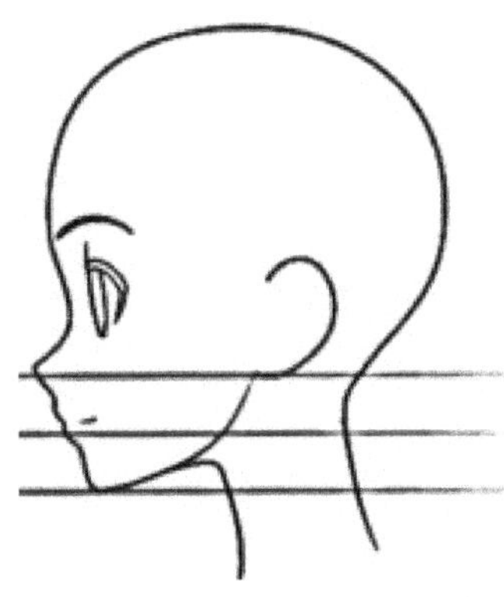

Nesta fase, desenhe o cabelo. Não se esqueça de que o cabelo vai sobrepor-se a algumas das outras características do rosto da personagem; no entanto, desenhá-lo não deixa de ser uma boa ideia, especialmente porque pode ficar visível se optar por desenhar penteados diferentes dos habituais.

Pode então apagar as partes cobertas pelo cabelo quando tiver terminado de desenhar tudo.

Nesta fase do desenho, pode simplesmente esboçar as partes principais dos tufos de cabelo sem nenhum dos pormenores interiores. Experimente variar ligeiramente a forma e a direção dos tufos para dar ao cabelo um aspeto mais natural.

Desenhe os pormenores do rosto e termine o desenho. Nesta altura, pode apagar as partes do rosto cobertas pelo cabelo e acrescentar os detalhes mais pequenos dos olhos, como as pestanas, as pupilas e os reflexos de luz nos olhos. Também pode esbater as pestanas e acrescentar mais detalhes ao cabelo.

Ao desenhar os olhos, pode definir suavemente os destaques, como os reflexos de luz, com linhas muito delicadas para evitar sombrear estas áreas ao sombrear os olhos.

Quando terminar, deve ter um desenho completo da cabeça e do rosto de uma rapariga manga.

Pode agora decidir se quer deixar o desenho como está ou acrescentar sombreado ou cor. Se quiser acrescentar sombreado, basta escurecer os cabelos e as íris dos olhos, deixando os pontos de luz brancos. Sombreie as pupilas e a parte superior da íris de forma mais nítida e acentuada.

Como desenhar um rosto feminino de manga na vista ¾

Esta secção explicará passo a passo como desenhar um rosto feminino ao estilo manga numa vista ¾.

Neste exemplo, vamos utilizar um estilo mais realista com um nariz e lábios mais definidos. Embora este seja um estilo um pouco menos comum no traçado de uma personagem de manga, o objetivo deste exemplo é ver melhor a colocação correcta das características faciais.

Comece por desenhar o topo da cabeça. Comece por desenhar um círculo que represente o topo da cabeça.

Agora pense no círculo como uma esfera e desenhe uma linha que determinará o centro da cabeça através desta esfera. Esta linha curva-se à volta da esfera e deve ser colocada no mesmo ângulo em que pretende desenhar o rosto.

Pode ser útil desenhar a linha à volta da esfera primeiro, desenhando uma oval como se a esfera fosse transparente e depois apagando todas as secções cobertas. Provavelmente, cometerá menos erros ao criar a curva com este método.

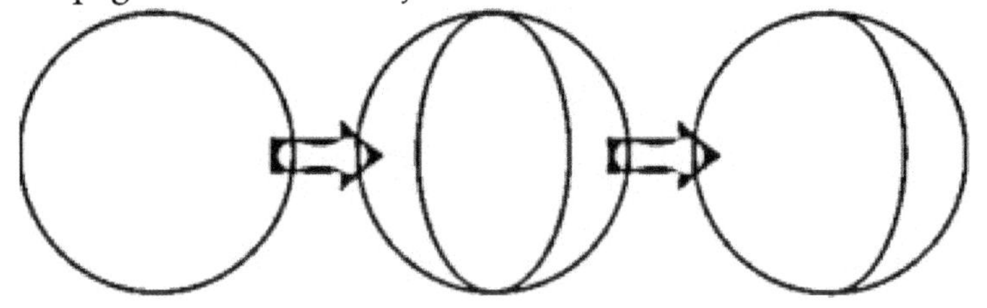

Agora desenhe a linha central da face. A partir da linha central da esfera, projecte uma linha reta ligeiramente inclinada para dentro, ou seja, para o centro da esfera. Coloque a linha no centro da parte inferior do rosto.

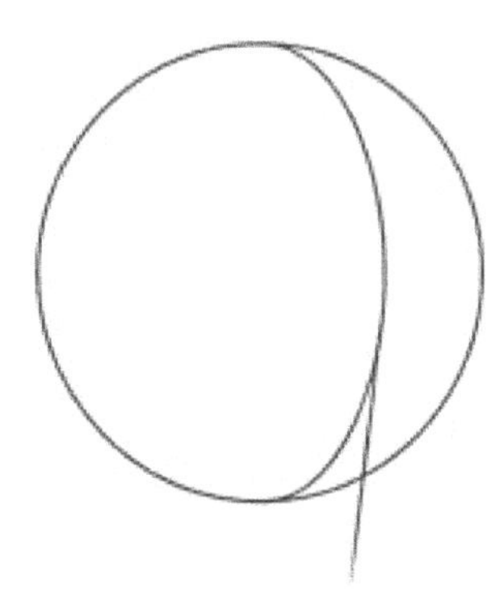

Agora desenhe a parte inferior do rosto. Desenhe a secção mais baixa dos lados do rosto, ligando a esfera à parte inferior da linha central.

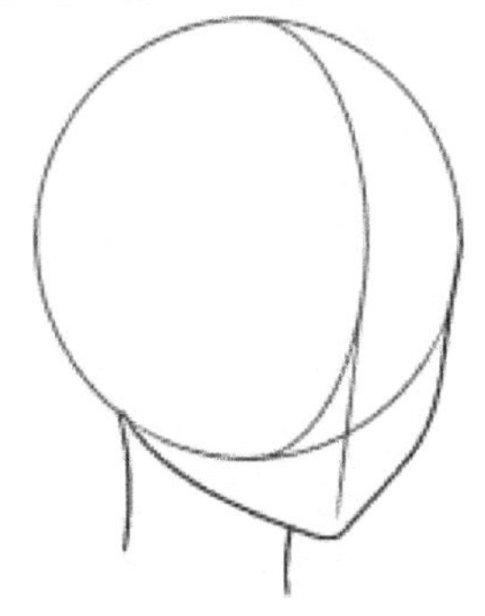

Adicione as principais características do rosto.

É altura de acrescentar os olhos por baixo da metade horizontal da cabeça. O nariz fica a meio caminho entre a parte de cima dos olhos e a parte de baixo do queixo. A boca está a meio caminho entre o queixo e a parte inferior do nariz para o lábio inferior, com o lábio superior posicionado ligeiramente acima. As orelhas situam-se entre a parte superior dos olhos e a parte inferior do nariz.

É importante notar que as proporções acima se baseiam na linha central de todas as características faciais, excluindo as orelhas. O motivo desta nota é para ter em mente que as partes do rosto mais próximas do observador devem ser ligeiramente maiores do que as partes mais afastadas.

Além disso, lembre-se de que o comprimento vertical do olho que está mais afastado do observador, a sobrancelha e o lado dos lábios devem ser mais curtos do que os que estão mais próximos. O olho mais afastado, a sobrancelha e o lado dos lábios devem curvar-se na direção do observador e ser desenhados verticalmente e ligeiramente espremidos.

Quanto mais o rosto se virar em relação ao observador, mais comprimidas devem ser as características do outro lado.

Desenhe a orelha cerca de um quarto da altura do rosto e posicione-a entre a parte superior dos olhos e a parte inferior do nariz.

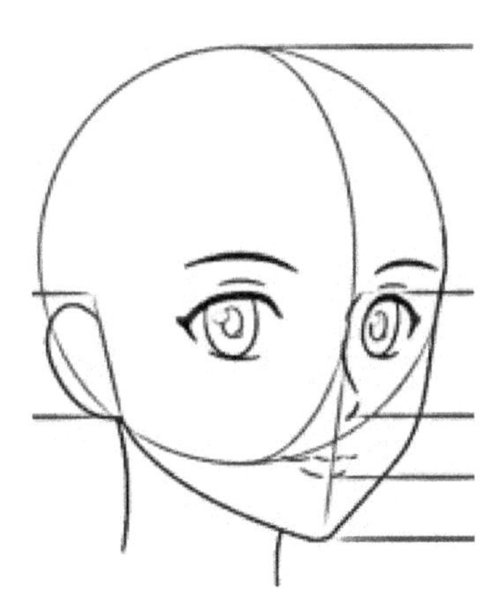

Apague todas as linhas de orientação e passe o desenho a preto.

Junte agora o cabelo. Reparta o cabelo à frente, dos lados, em cima e atrás. Para fazer este penteado, pode traçar o topo do cabelo ao longo da forma do topo da cabeça, mas a uma ligeira distância. Desenhe as pontas do cabelo repartido em pequenos tufos para trás e curvadas em relação à cabeça.

Apague as linhas de orientação do cabelo e desenhe a sua forma final. Nesta altura, pode apagar quaisquer linhas de construção do seu desenho e apagar as partes ocultas do cabelo.

Pode deixar o desenho a preto e branco, sombreá-lo ou adicionar cor.

Quanto ao sombreamento, basta sombrear as áreas que tendem a ter sombras em condições de iluminação comuns com luz vinda de cima.

Capítulo 11: Como desenhar a cabeça e o rosto de personagens masculinos de manga

Neste capítulo, aprenderá métodos para desenhar a cabeça e o rosto de um homem numa manga, tanto de frente como de lado.

Em particular, aprenderá a desenhar o que pode ser o rosto de uma personagem de manga jovem ou em idade escolar.

As personagens masculinas de manga desta idade tendem a ter um queixo maior e rostos mais compridos com olhos mais pequenos e estreitos do que as suas contrapartes femininas, crianças ou adolescentes. No entanto, este princípio também pode variar consoante o estilo.

Se desenhar a personagem com lápis e papel, certifique-se de que desenha linhas claras até terminar os detalhes do rosto e a colocação do cabelo. Mais tarde, terá de apagar as partes do desenho de que não precisa.

Começa por desenhar a cabeça. Desenhe uma linha vertical no centro da cabeça para o ajudar a ver se os dois lados estão iguais. Aproxime o topo da cabeça de um círculo e, a partir daí, projecte duas linhas angulares para dentro em direção ao centro do rosto, seguidas de uma série de curvas e mais duas linhas angulares que apontam mais para dentro. Junte os dois conjuntos de linhas no queixo. Desenhe o queixo com uma pequena curva, mas não o torne demasiado acentuado, ou a personagem parecerá menos masculina.

No entanto, para a vista lateral, desenhe o topo da cabeça como uma forma oval. Faça uma pequena saliência à volta das sobrancelhas, seguida de uma indentação na zona do nariz. Além disso, a partir desta vista, pode simplesmente desenhar uma linha reta desde a ponta do nariz até à base do queixo.

Adicione a parte inferior do maxilar, estendendo uma linha um pouco acima da oval e curvando-a numa linha que vai no queixo.

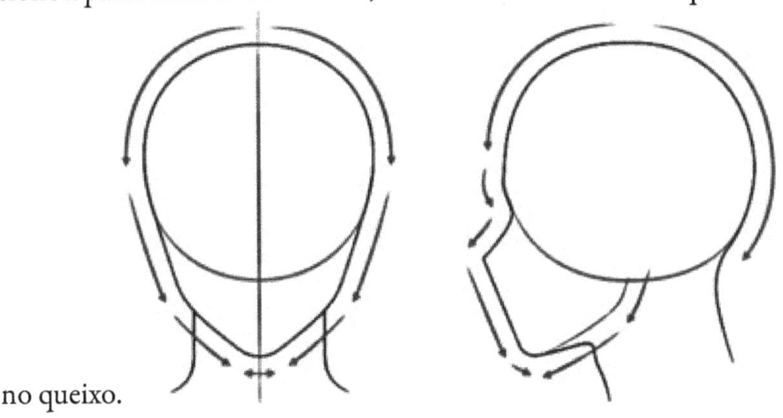

Introduzir as orelhas. Para as orelhas, desenhe uma linha vertical no centro da cabeça e outra linha entre esta e o queixo. Desenhe as orelhas com a parte superior e inferior entre as duas linhas.

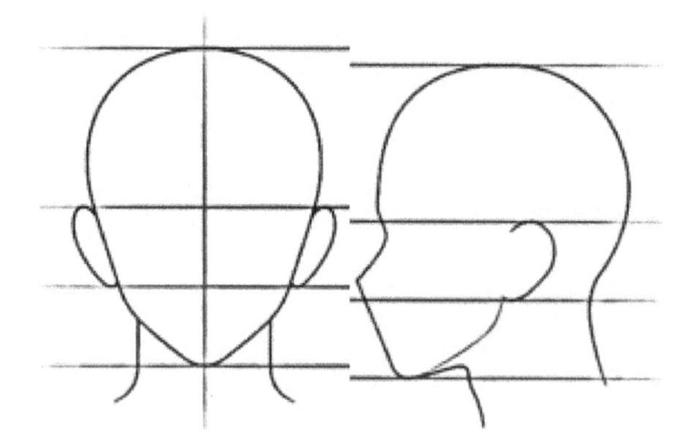

Agora desenha os olhos. Neste caso, a nossa personagem é um jovem adulto, pelo que os olhos serão mais pequenos do que os de um rapaz. Desenhe os olhos com a parte superior a tocar o ponto horizontal no meio do rosto e deixe espaço suficiente entre eles para encaixar outro olho.

Para já, pode simplesmente desenhar o contorno básico. Os pormenores podem ser acrescentados numa fase posterior.

Desenhe as sobrancelhas ligeiramente acima dos olhos. As sobrancelhas masculinas na manga são frequentemente desenhadas mais grossas do que as femininas, especialmente nas personagens mais velhas.

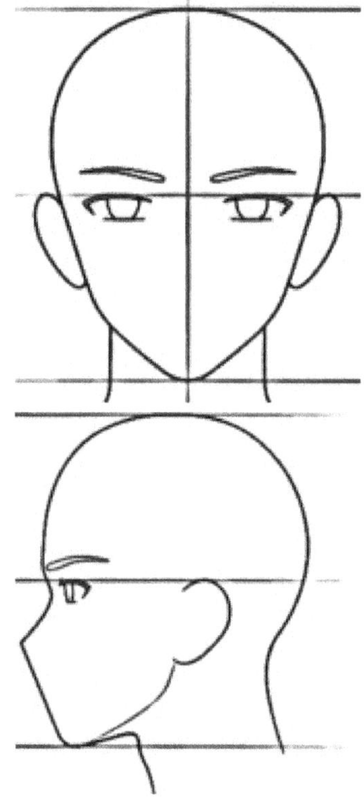

Aqui deve desenhar o nariz. Coloque os pormenores do nariz de modo a que a sua parte inferior fique a meio caminho entre a parte superior dos olhos e a parte inferior do queixo. Note que a parte inferior do nariz não precisa de ser desenhada. Desenhe uma pequena linha vertical para desenhar a ponte e faça uma ligeira sugestão para representar as narinas.

Se estiver a desenhar o nariz a partir da vista lateral, desenhe a parte inferior do nariz e a boca ao mesmo tempo, uma vez que se movem essencialmente uma para a outra.

Nesta altura, pode desenhar a boca. Finalmente, posicione a boca desenhando uma linha entre a parte inferior do nariz e a parte inferior do queixo. Esta linha dá-lhe a posição do lábio inferior. Desenhe o lábio superior mesmo por cima do lábio inferior.

Desenhe a boca com uma ligeira curva e uma pequena pausa no meio. Pode dar uma ideia do lábio inferior desenhando uma linha curta. Além disso, tenha em conta que, geralmente, as personagens masculinas na manga, sejam homens adultos ou adolescentes, tendem a ter bocas mais largas do que as femininas.

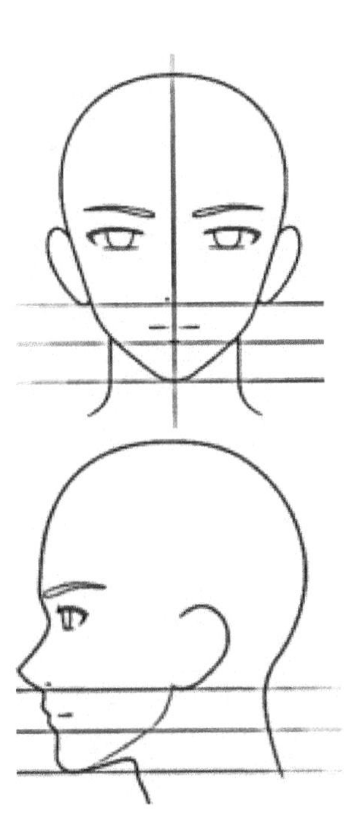

Desenhe agora o cabelo. Coloque o cabelo no cimo da cabeça. Para obter o aspeto típico de "cabelo de manga", desenha o cabelo em tufos grandes e pontiagudos.

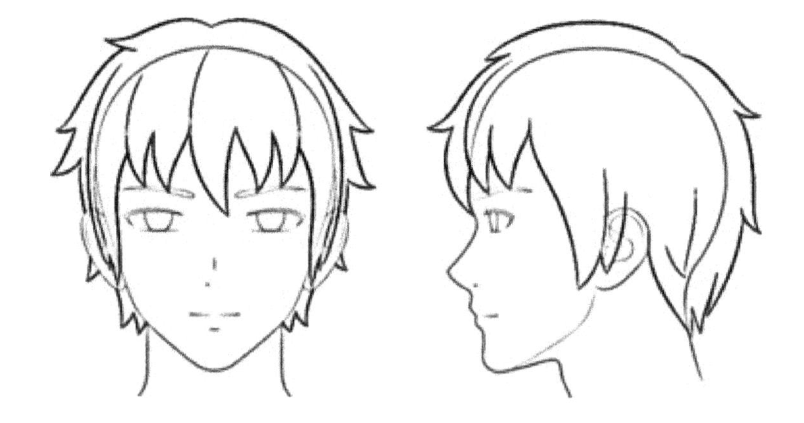

Desenhe os pormenores e termine a hachura do desenho. Apague as partes da cabeça que estão escondidas pelo cabelo e acrescente os pormenores mais pequenos dos olhos, como as pupilas e os reflexos. De seguida, passe por cima do seu desenho com linhas mais escuras e adicione preenchimento preto ou sombreado de lápis a partes dos olhos e sobrancelhas. Depois de terminar este passo, deve ter um desenho limpo do rosto. Pode deixá-lo nesta fase ou passar à fase seguinte se quiser acrescentar sombreado.

Para simplificar o sombreamento, pode adicioná-lo nos locais onde é mais provável que ocorram sombras em condições de iluminação gerais.

Pode fazer o seguinte: pequenas sombras do cabelo na testa e nos lados do rosto; pequenas sombras à volta das pálpebras e na parte superior do branco dos olhos; partes interiores das orelhas, parte inferior do nariz.

Em seguida, escureça também o cabelo e as íris dos olhos, mas deixe os destaques em ambas as áreas brancos.

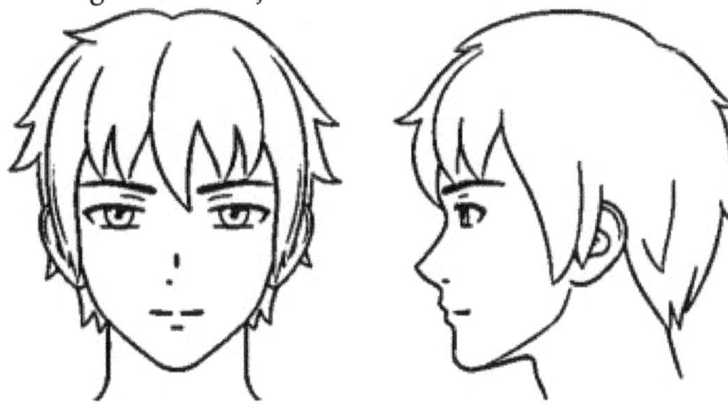

Como desenhar o rosto de uma personagem masculina de manga na vista ¾

Neste exemplo, vamos concentrar-nos em desenhar um rosto masculino estilo manga, passo a passo, na vista ¾.

Comece por desenhar o topo da cabeça. Comece por desenhar um círculo para estabelecer a forma básica do topo da cabeça.

Agora imagine que este círculo é uma esfera tridimensional e transparente. Dentro dela, desenhe o que deve ser semelhante a uma fatia de maçã num ligeiro ângulo; isto estabelecerá o centro da cabeça e a direção para onde o olhar da personagem está virado.

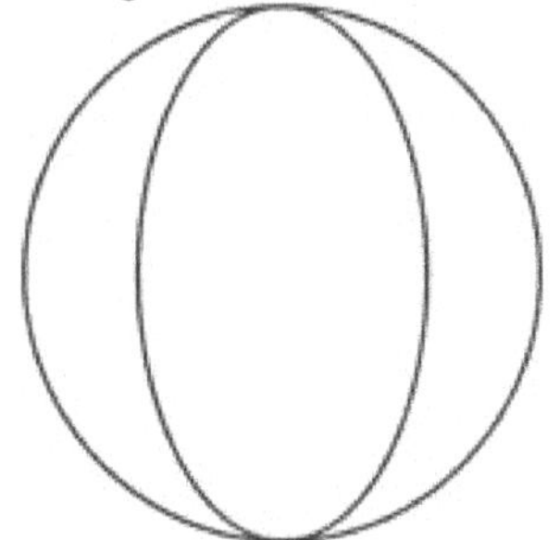

Desenhe a linha central do rosto.

Apague a metade da oval voltada para a parte de trás da cabeça, neste caso, o lado esquerdo. A partir do lado virado para a frente, projecte uma linha reta que represente o centro do rosto.

Esta linha deve inclinar-se ligeiramente para a parte de trás da cabeça. Deve atingir pelo menos o ponto mais à frente, que representa a parte inferior do queixo.

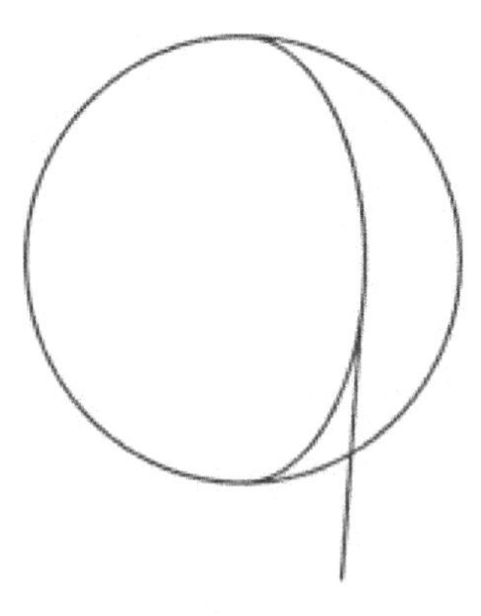

Desenhe a metade inferior do rosto.

Os rostos de manga têm normalmente queixos pequenos, se não mesmo pontiagudos. No entanto, o queixo será ligeiramente curvado na extremidade para tornar o rosto mais masculino.

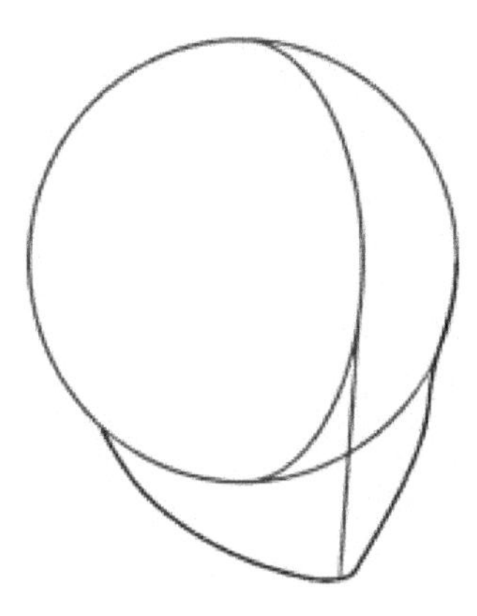

Desenhe o pescoço da sua personagem. Geralmente, o pescoço tende a ser inclinado para frente. Esse ângulo fica um pouco menos percetível na vista ¾; portanto, o conselho é desenhar o pescoço levemente inclinado em direção à frente do rosto. Adicione o pescoço e uma pequena sugestão dos ombros da personagem.

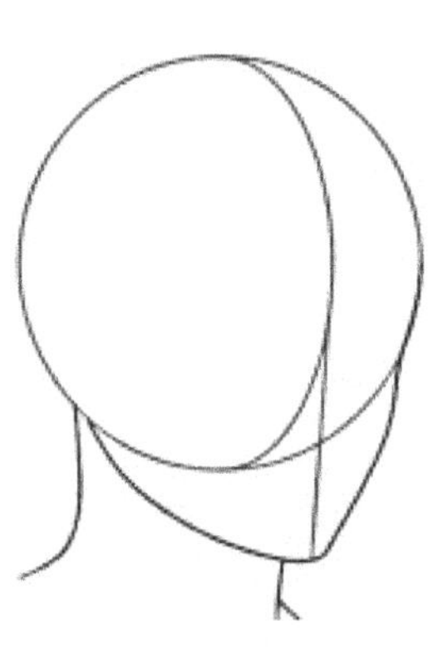

Desenhar a orelha. Desenhe a orelha a cerca de ¼ da altura da cabeça, com o topo na metade horizontal da cabeça. Adicione apenas uma orelha, pois a outra ficará escondida atrás da cabeça.

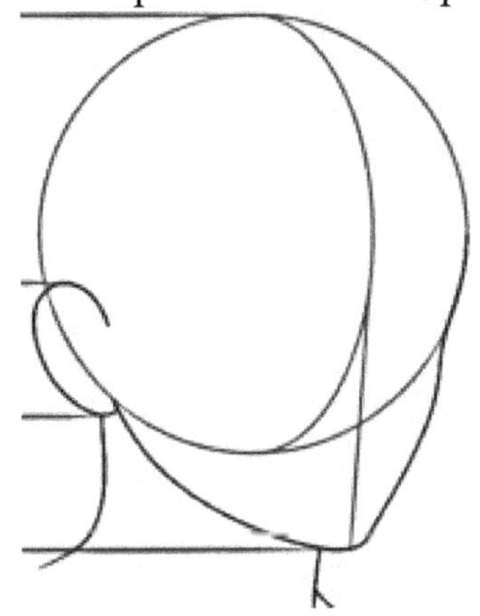

De seguida, adicione os olhos. Desenhe o contorno básico dos olhos como no exemplo abaixo. Coloque-os com a parte superior alinhada com a parte superior da orelha.

Desenhe o olho virado para o lado do observador significativamente mais largo do que o outro. Quero que repare que os olhos estão ligeiramente colocados na cabeça. Para conseguir este aspeto, mova o olho da frente significativamente mais para fora da linha central do rosto do que o outro olho.

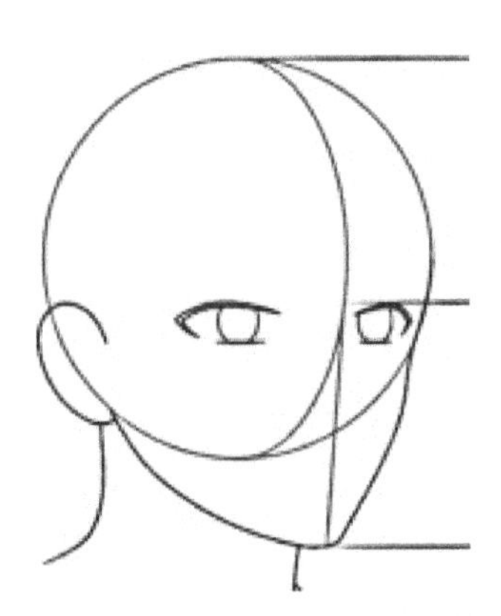

Desenhar as sobrancelhas. Adicione as sobrancelhas um pouco mais altas que os olhos. Mais uma vez, para tornar a personagem um pouco mais masculina, desenhe as sobrancelhas mais grossas do que as que veria numa personagem feminina típica.

Pode desenhá-las em formas onduladas, com as extremidades interiores a apontar ligeiramente para baixo.

À semelhança dos olhos, desenhe a sobrancelha da frente, que está mais próxima do observador, mais larga e afastada da linha central da cabeça.

Desenhe o nariz do seu personagem. Neste caso, a personagem terá um nariz bastante definido com uma sugestão de narina.

A parte inferior do nariz deve coincidir com a parte inferior da orelha.

O dorso do nariz deve passar pela zona à volta das sobrancelhas. Pode desenhar apenas uma pitada disto no lado mais afastado do rosto.

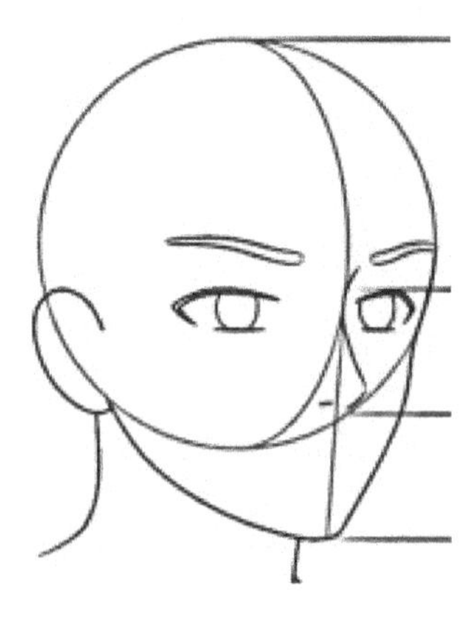

Desenhe a boca da sua personagem. Por fim, adicione a boca, com o lábio inferior posicionado a meio caminho entre a parte inferior do nariz e a parte inferior do queixo.

Pode definir o lábio inferior com uma pequena curva e colocar a boca por cima dele. Como a boca é curva e um pouco recuada, desenhe a maior parte da sua forma na parte da frente do rosto, ou seja, no lado esquerdo da linha central.

Uma vez que se trata de uma boca masculina, pode torná-la maior e mais larga do que uma boca feminina. Também pode colocar uma pequena saliência na curva de definição para a tornar mais natural.

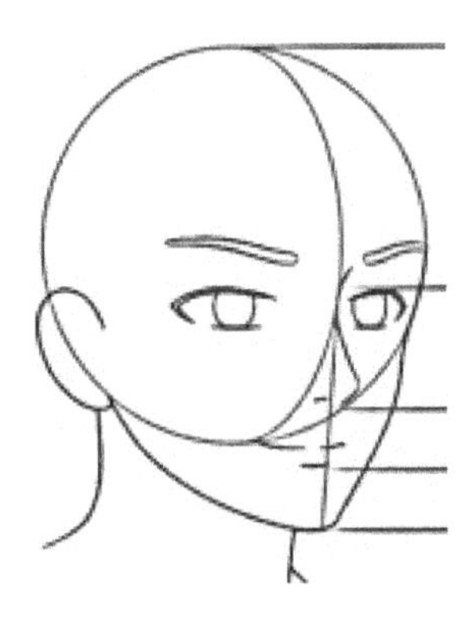

Apague todas as linhas de orientação e limpe o seu desenho. Nesta altura, limpe o seu desenho apagando todas as linhas de orientação. Uma vez feito isso, você deve ter um esboço simples de uma cabeça e rosto masculino no estilo mangá, sem o cabelo e os pequenos detalhes dos olhos e orelhas.

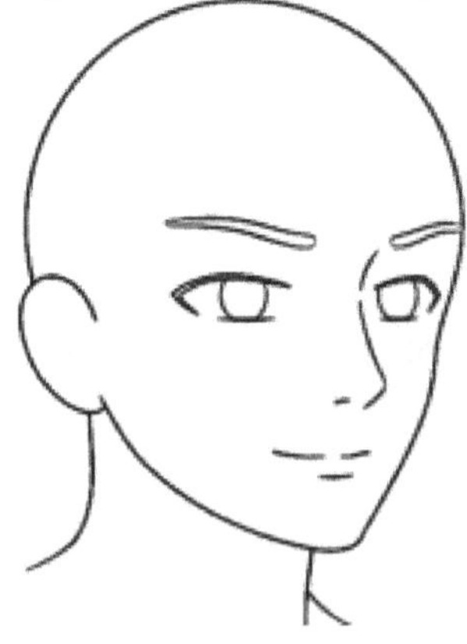

Desenhar o cabelo.

Divida o cabelo em secções à frente, de lado e atrás. A razão para isto é facilitar o processo de desenho.

Em seguida, comece por desenhar a parte da frente do cabelo, como mostra a imagem abaixo.

Neste exemplo, a personagem terá um cabelo de comprimento médio, com um aspeto bastante natural.

Para conseguir este efeito, desenhe o cabelo dividido em tufos bastante grandes que apontem em direcções ligeiramente diferentes.

Desenhe a secção lateral do cabelo.

Adicione as secções laterais, desenhando apenas algumas mechas até à base do nariz. Além disso, lembre-se de que a cabeça irá esconder parcialmente a parte do cabelo que está no fundo.

Passe a desenhar a parte de trás do cabelo.

Por fim, adicione a secção posterior do cabelo, desenhando tufos maiores e mais dispersos para cima e tufos mais pequenos e mais agrupados na parte inferior.

Termina o teu desenho acrescentando todos os pormenores que faltam.

Nesta altura, apague as partes da cabeça escondidas pelo cabelo, apague todas as linhas de orientação de que já não precisa e adicione os detalhes interiores dos olhos e das orelhas.

Depois de concluída esta fase, utilize uma caneta preta ou um marcador para realçar as linhas.

Nesta altura, o seu desenho está terminado. Adicione sombreado nas áreas onde são necessárias luzes e sombras. Também pode deixar o desenho a preto e branco ou decidir colori-lo com as cores que mais lhe agradam.

Capítulo 12: Como desenhar cabeças e rostos de anime em diferentes estilos

Em seguida, encontrará alguns exemplos básicos da mesma personagem desenhada em estilos diferentes, juntamente com uma explicação do que os torna diferentes.

Exemplo de cabeça e rosto de manga padrão

Os estilos padrão são os mais utilizados para representar personagens de manga. Normalmente, têm proporções corporais bastante próximas das de pessoas reais.

O estilo não é a única coisa que influencia a forma e o tamanho das cabeças de manga. Como observámos anteriormente, a idade das personagens também deve ser considerada. As crianças tendem a ter rostos mais redondos e cabeças maiores do que o resto do corpo.

Exemplo de como desenhar rostos e cabeças de personagens de manga estilizados

Na arte estilizada da manga, encontramos personagens com olhos maiores e queixos mais arredondados. As personagens mais estilizadas também tendem a ter cabeças maiores do que o resto do corpo do que as pessoas reais.

Exemplo de como desenhar as cabeças e os rostos das personagens Chibi

Chibi, também designado por "super deformação" ou "S.D.", é um estilo de caricatura frequentemente utilizado em anime e manga. As personagens são desenhadas de uma forma exagerada, com corpos curtos e gordos, cabeças grandes e poucos pormenores.

Capítulo 13: Como desenhar sardas numa personagem de manga

Nesta secção do guia, vamos tratar dos detalhes do rosto de uma personagem, como as sardas.

As sardas podem dar a uma personagem de manga um aspeto ligeiramente mais distinto e único.

Geralmente, embora nem sempre seja esse o caso, as personagens com personalidades ligeiramente mais suaves ou tímidas tendem a ser retratadas com sardas.

Tal como as personagens, as sardas também são desenhadas de forma estilizada. Os rostos de manga tendem a ser desenhados com sardas muito maiores e muito menos sardas do que numa pessoa real; isto poupa-lhe tempo e torna-as mais fáceis de ver. O objetivo, no entanto, não é representar sardas de aspeto realista, mas sim criar uma espécie de ilusão.

Exemplo de como desenhar sardas nas bochechas de uma personagem

Para este tipo de sardas, só precisa de desenhar uma mancha por baixo de cada olho. O único truque real aqui é equilibrar as sardas para que um lado não tenha mais sardas do que o outro.

Se quiseres dar à tua personagem um aspeto mais natural, tenta não tornar as sardas demasiado simétricas. Para uma personagem mais estilizada, podes espelhá-las e fazê-las todas do mesmo tamanho. Além disso, pode aleatorizar ligeiramente o tamanho, tornando algumas maiores e outras mais pequenas.

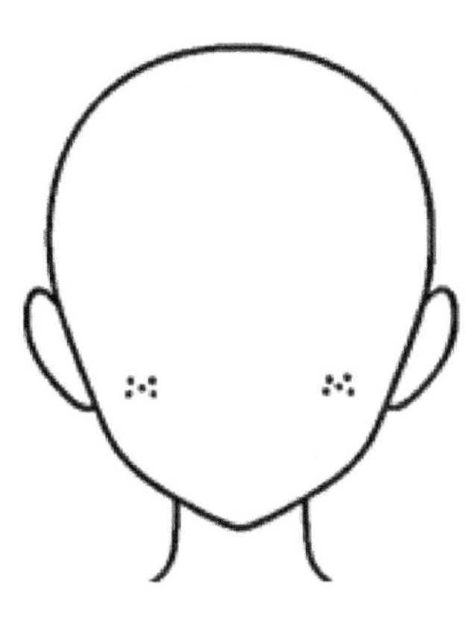

Exemplo de como desenhar sardas no nariz

Para este exemplo, desenhe uma mancha de sardas à volta da ponte do nariz. Uma vez que esta parte do nariz não é desenhada na maioria das personagens, tente simplesmente colocá-las um pouco acima da ponta do nariz. Mais uma vez, dê formas diferentes às suas sardas.

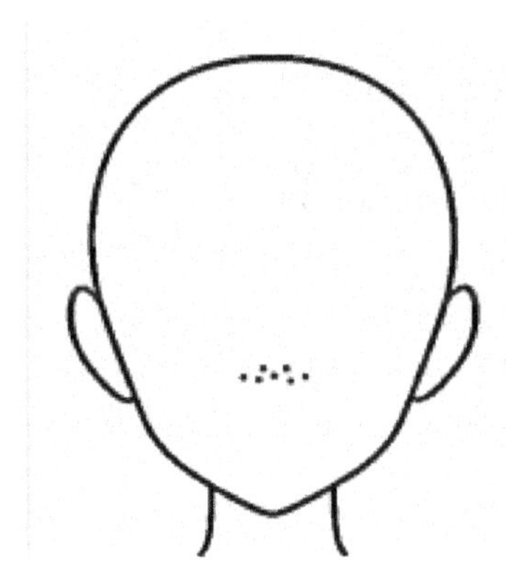

Exemplo de como desenhar sardas no centro do rosto

Este exemplo é uma combinação dos dois anteriores. Desenhe estas sardas como uma risca ao longo do rosto, à volta do nariz e das maçãs do rosto. Faça-as mais densas no centro e menos numerosas nos lados.

Mais uma vez, tente dar diferentes formas e tamanhos às sardas.

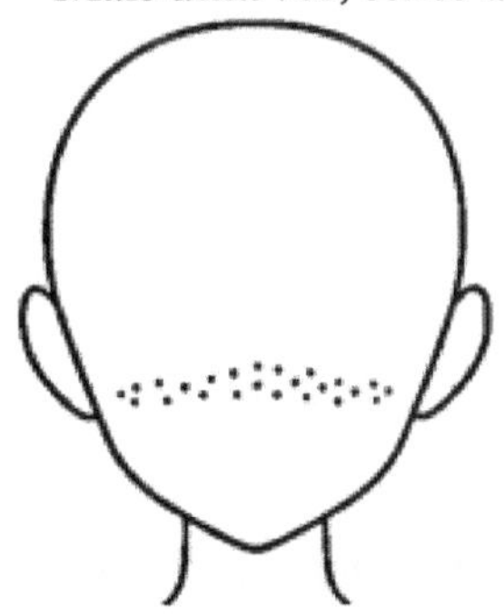

Capítulo 14: Como desenhar as expressões faciais de uma personagem a partir da vista frontal

Neste capítulo, vai aprender a desenhar as várias expressões faciais das personagens de manga na vista frontal.

Exemplo de como desenhar uma expressão facial normal

Lembre-se que a primeira coisa a fazer é traçar as directrizes básicas para desenhar os rostos das personagens de manga.

Ao desenhar a cabeça na vista frontal, deve começar por desenhar uma linha vertical que represente o centro da cabeça. Esta linha ajudá-lo-á a obter proporções uniformes em ambos os lados da cabeça. De seguida, desenha a forma geral da cabeça.

As características faciais podem deslocar-se ligeiramente ao longo destas linhas, conduzindo assim a alterações na expressão facial.

Desenhe uma linha horizontal no centro da cabeça e desenhe os olhos por baixo desta linha.

Desenhe outra linha horizontal, passando entre a linha horizontal central e a parte inferior do rosto. O nariz será colocado sobre esta linha.

Desenhe uma linha entre a linha do nariz e a parte inferior do rosto. Desenhe a boca ligeiramente acima desta linha.

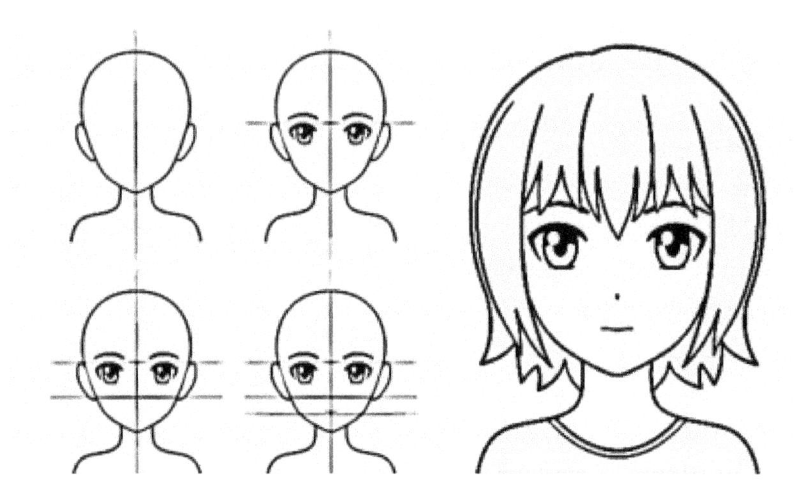

Exemplo de como desenhar uma expressão facial zangada

Para dar a impressão de um rosto zangado, desenhe os olhos semicerrados, as sobrancelhas para baixo e juntas no interior. Desenhe a boca como se fosse um arco ao contrário.

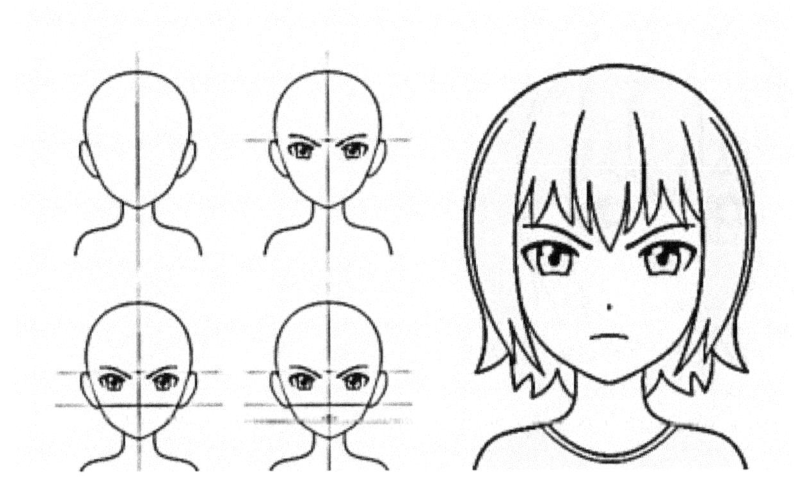

Exemplo de como desenhar expressões faciais felizes

Para um rosto feliz, basta desenhar os olhos completamente fechados. Desenhe apenas as pestanas com uma sugestão das pálpebras e uma forma de arco. Para a boca, basta desenhar um traço dos dentes.

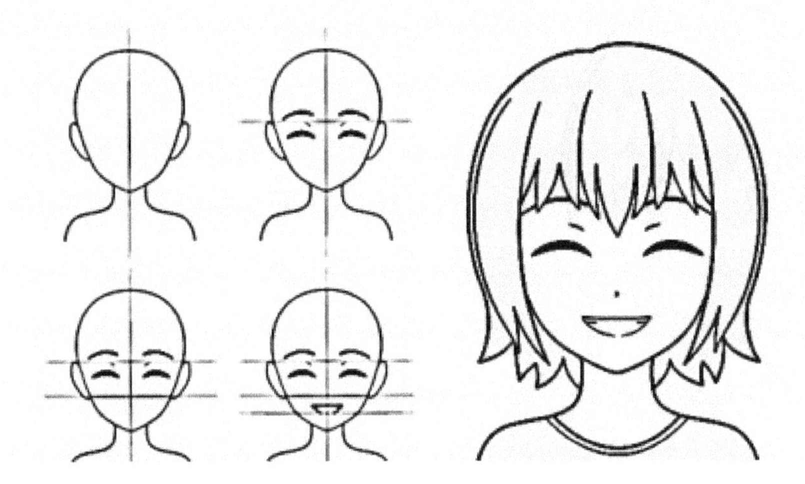

Exemplo de como desenhar a expressão facial de uma personagem apaixonada

No efeito de amor, os olhos são o aspeto mais importante. Desenhe as pupilas maiores do que o normal e adicione mais reflexos aos olhos.

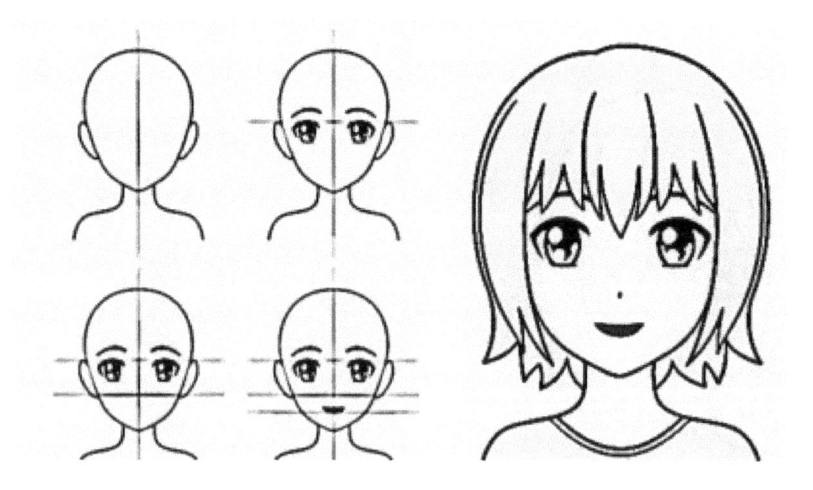

Exemplo de como desenhar expressões faciais de surpresa e confusão

Para uma expressão facial de surpresa ou confusão, desenhar a boca ligeiramente aberta em forma de O. Desenhar também os olhos bem abertos, quase largos, e com as sobrancelhas levantadas. Pode também ser necessário desenhar as íris. Tudo o que está lá dentro é mais pequeno do que o normal. Por fim, pode também desenhar as íris ligeiramente mais próximas do que o normal.

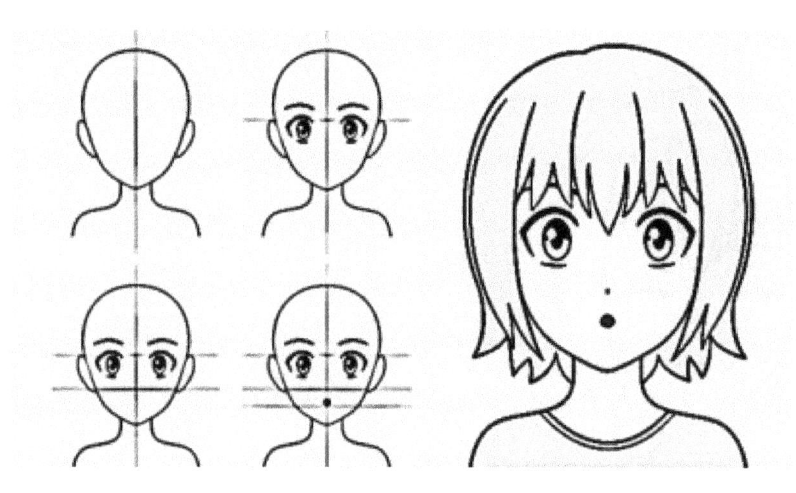

Exemplo de como desenhar expressões faciais de aborrecimento

Para fazer um rosto virado para cima, desenhe os olhos a olhar ligeiramente para baixo e para dentro. Desenhe a boca como um arco ligeiramente virado para cima. Desenhe as sobrancelhas para baixo na lateral e levante-as em direção ao centro do rosto.

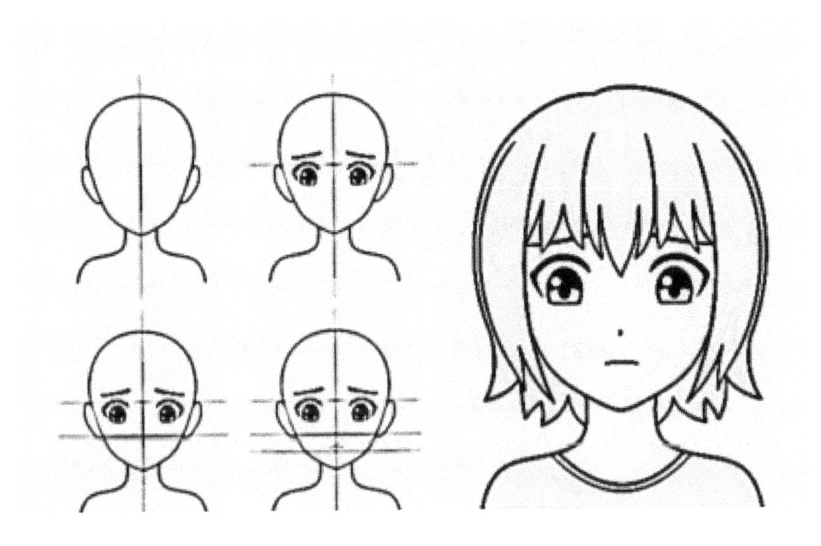

Exemplo de como desenhar uma cara de zombaria

Para um olhar como se a personagem que está a desenhar estivesse a planear algo, deve desenhar os olhos semicerrados e as sobrancelhas para baixo. Desenhar a boca com um ligeiro sorriso.

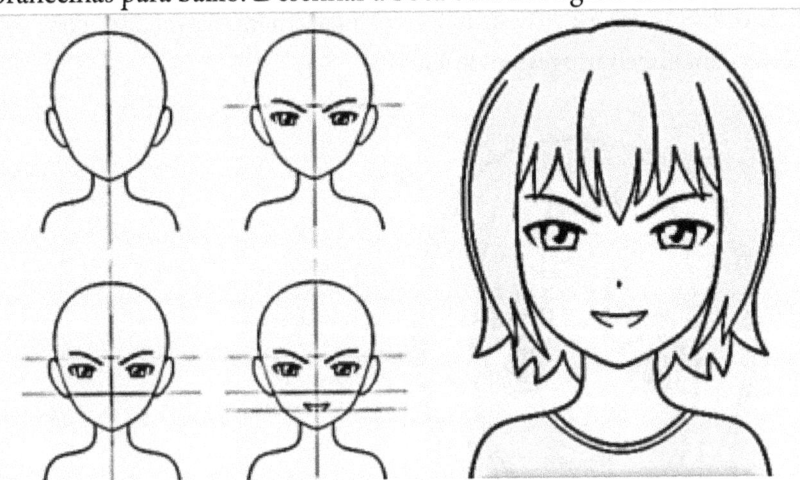

Exemplo de como desenhar expressões faciais de medo

Para uma expressão de medo, desenhar os olhos bem abertos com as sobrancelhas levantadas. Desenhar a boca ligeiramente aberta e desenhar as íris e as pupilas muito mais pequenas do que o normal. Também pode desenhar as íris ligeiramente mais próximas umas das outras.

Exemplo de como desenhar expressões faciais embaraçadas

Para um ar embaraçado, desenhe as sobrancelhas como se fossem um arco ligeiramente invertido, com os olhos virados para baixo. Desenhe a boca com uma ligeira sugestão de sorriso.

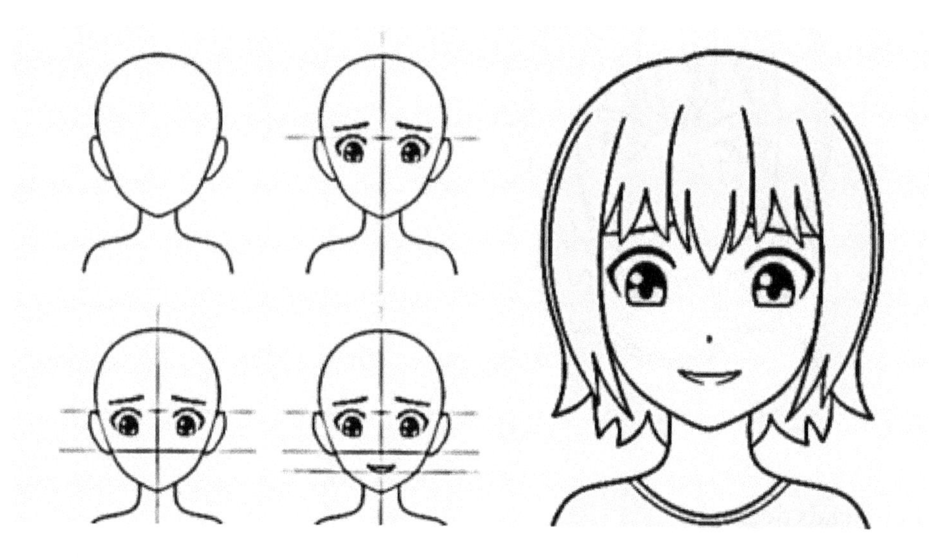

Exemplo de como desenhar expressões faciais de perplexidade.

Desenhe as sobrancelhas e os olhos para cima para dar a impressão de uma expressão intrigada. Desenhe a boca ligeiramente aberta com uma forma de O, como na imagem abaixo.

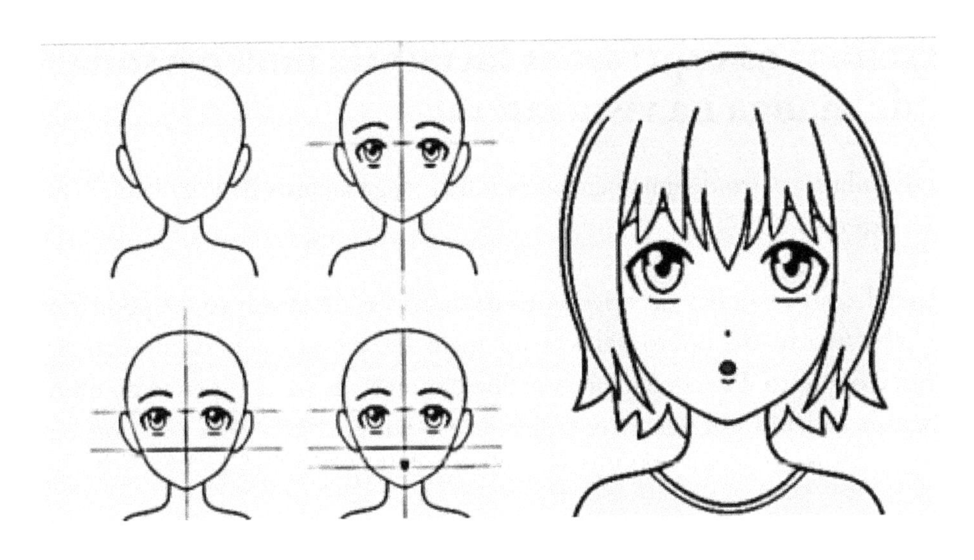

Exemplo de como desenhar expressões faciais sorridentes

Para um sorriso ligeiro e pouco evidente, desenhe a boca como se fosse um arco e ligeiramente mais larga do que uma boca normal. Desenhe os olhos ligeiramente semicerrados.

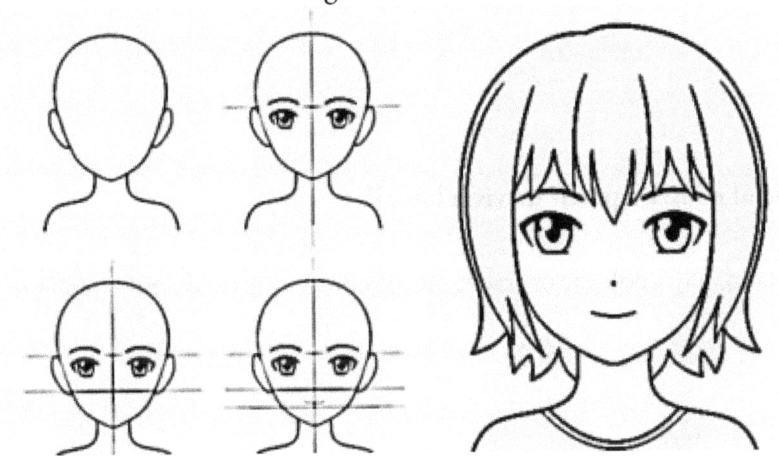

Capítulo 15: Como desenhar as expressões faciais de uma personagem de manga na vista lateral

Este capítulo aborda a forma de desenhar o rosto de uma personagem de manga a partir da vista lateral em diferentes estados e com diferentes expressões.

Comece por desenhar a vista lateral com as linhas de orientação da cabeça e do rosto, como pode ver na imagem abaixo. Desenhe o olho abaixo do ponto vertical no meio da cabeça; o nariz deve estar aproximadamente entre este ponto e o queixo. Para desenhar as orelhas, comece da parte superior do olho até à parte inferior do nariz. Desenhe o lábio inferior entre o queixo e o nariz, com a boca posicionada ligeiramente acima do queixo.

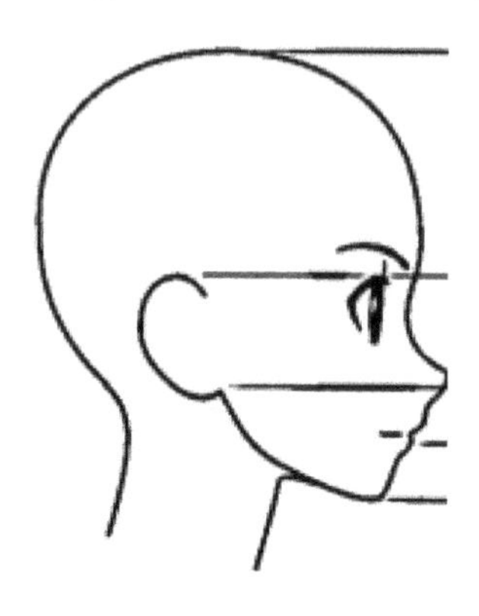

Exemplo de como desenhar uma expressão facial neutra a partir da vista lateral

Para uma expressão manga neutra vista de lado, basta colocar os traços faciais como se vê no desenho abaixo.

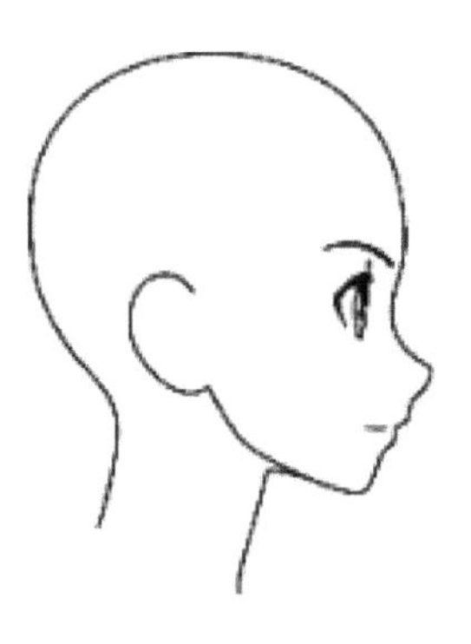

Exemplo de como desenhar uma boca ligeiramente aberta em vista lateral

Para desenhar uma boca aberta, a principal coisa a fazer é desenhar o maxilar mais baixo do que as proporções normais.

Além disso, tenha em conta que apenas o maxilar inferior se move quando a boca está aberta. O maxilar superior mantém-se na mesma posição inicial.

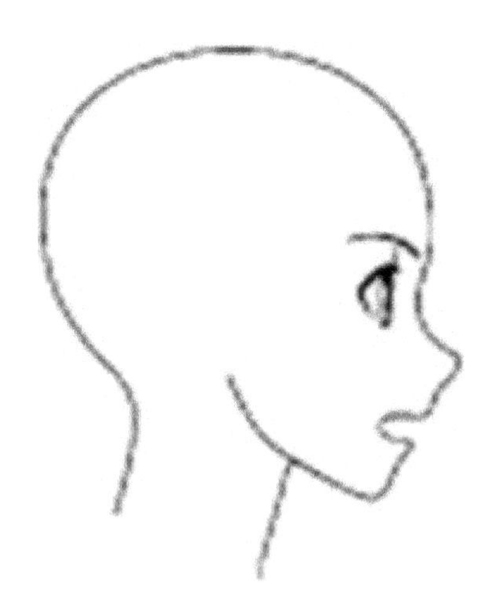

Exemplo de como desenhar uma boca aberta a partir da vista lateral.

Para dar a impressão de uma boca bem aberta, evite que a mandíbula caia diretamente para baixo quando a boca se abre e volta para o pescoço. Por conseguinte, puxe o maxilar para baixo e mais para trás, diretamente para o pescoço.

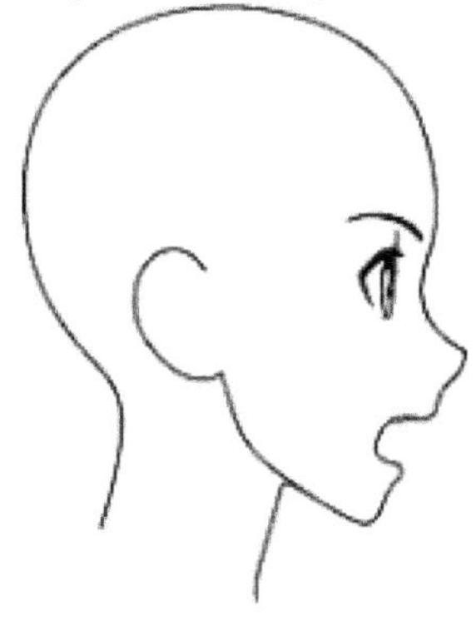

Exemplo de como desenhar uma cara de grito a partir da vista lateral

Para dar a impressão de que uma personagem está a gritar, desenhe o maxilar no mesmo sítio que já viu no exemplo da "boca aberta", mas desenhe os lábios mais puxados para trás para que os dentes também possam ser visíveis. Desenhe o olho ligeiramente entreaberto.

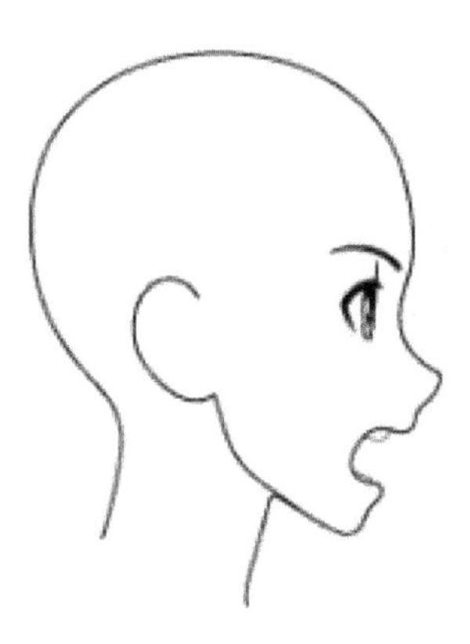

Exemplo de como desenhar um rosto carrancudo na vista lateral

Para desenhar uma expressão carrancuda, terá de desenhar a sobrancelha com uma forma ondulada a apontar para baixo, ou seja, para o nariz. Desenhe a boca curvada para baixo, ou seja, direccionada para o pescoço.

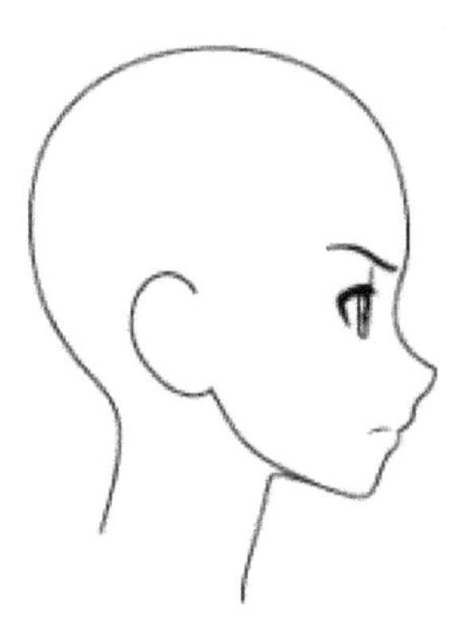

Exemplo de como desenhar um rosto surpreendido a partir da vista lateral

Para um olhar surpreendido, desenhe a sobrancelha levantada e mais curvada do que o normal. Desenhe a boca bem aberta, mas com os lábios puxados para dentro; é o oposto do exemplo da boca que grita.

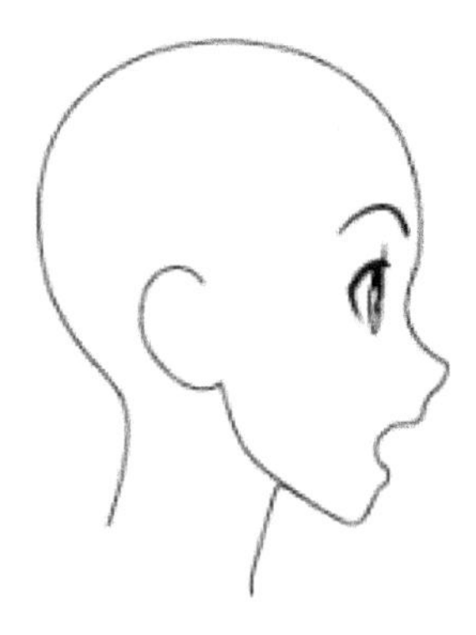

Exemplo de como desenhar um rosto a partir da vista lateral sorridente

Para uma expressão sorridente, desenhar as sobrancelhas levantadas e os olhos semicerrados com as pálpebras e as sobrancelhas curvadas para baixo. Para dar o efeito de sorriso, desenhar a boca com os dentes bem expostos.

Exemplo de como desenhar uma cara zangada na vista lateral

Para conseguir esta expressão, desenhe as sobrancelhas muito baixas em forma de onda e os olhos semicerrados. Desenhe os lábios puxados para trás, mostrando os dentes, e apenas uma sugestão da linha de separação entre os dentes superiores e inferiores. Desenhe apenas uma pitada do dente canino para realçar a expressão zangada e os dentes cerrados.

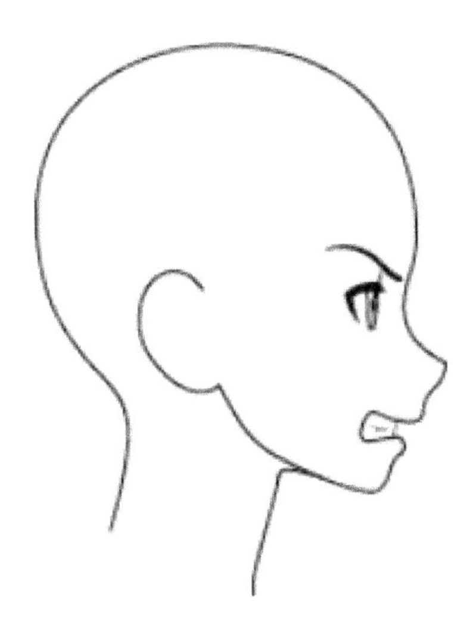

Exemplo de como desenhar um rosto assustado a partir da vista lateral

Para dar um ar assustado, desenhe sobrancelhas levantadas e olhos bem abertos com uma íris e pupila mais pequenas do que o normal. Embora as íris dos olhos reais não mudem de tamanho, são muitas vezes desenhadas mais pequenas na manga para dar à personagem um ar verdadeiramente assustado. Uma vez que os olhos da manga já tendem a ser suficientemente grandes, desenhá-los ainda mais largos pode fazer com que a personagem pareça demasiado deformada, por isso a solução é desenhar as íris mais pequenas.

Por fim, desenhar a boca um pouco aberta e apontar para baixo.

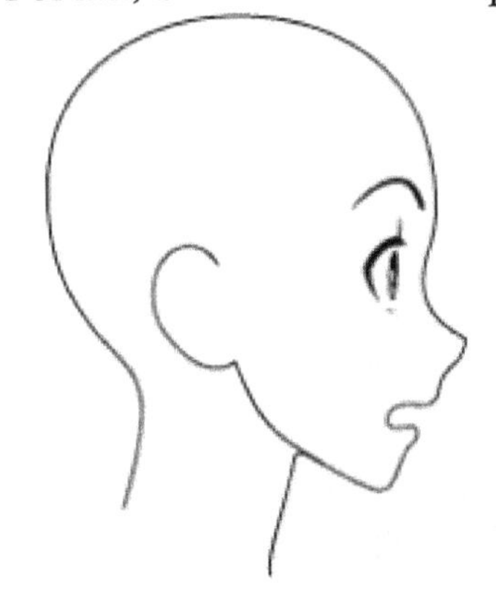

Exemplo de como desenhar uma cara carrancuda a partir da vista lateral

Para conseguir este visual, desenhe as sobrancelhas mais baixas, os olhos semicerrados e a boca a sorrir com um ligeiro sorriso.

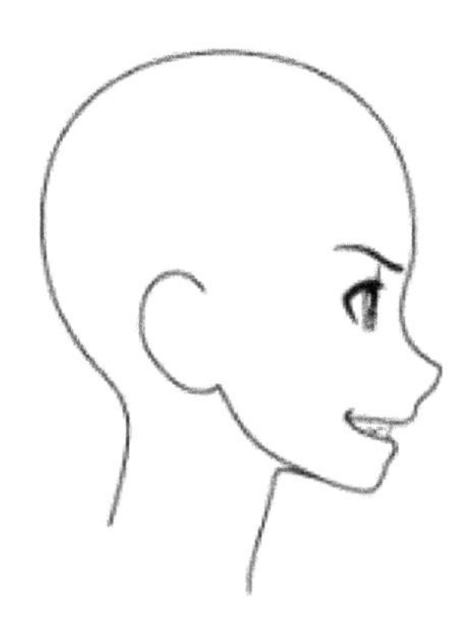

Exemplo de como desenhar um rosto confuso na vista lateral

Desenhar as sobrancelhas ligeiramente levantadas com os olhos virados para cima para dar um ar de perplexidade. Desenhar o maxilar ligeiramente mais baixo com a boca aberta em forma de O.

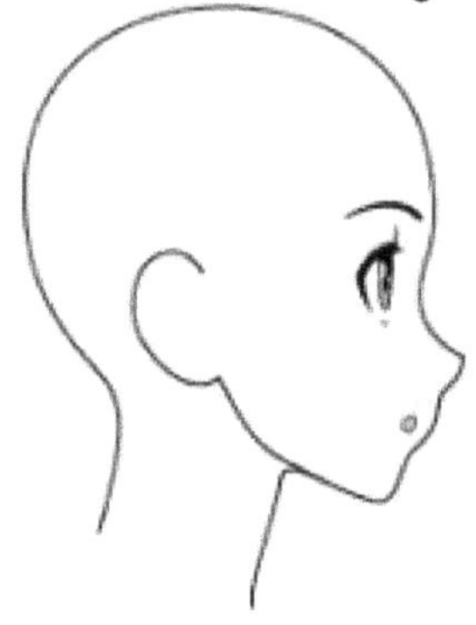

Exemplo de desenho de olhos fechados e relaxados em vista lateral

Para que o rosto da personagem pareça relaxado, deve desenhar os olhos fechados. Desenhe o resto das características faciais como no exemplo do rosto normal.

Tenha em atenção que, quando os olhos estão fechados num estado de relaxamento, são as pálpebras superiores que descem até ao fundo. As pálpebras inferiores ficam praticamente onde estão, mesmo quando os olhos estão abertos.

Exemplo de como desenhar um rosto envergonhado na vista lateral

Para um olhar envergonhado, desenhe as sobrancelhas numa curva invertida, com os olhos virados para baixo e a boca sorridente também a mostrar dentes.

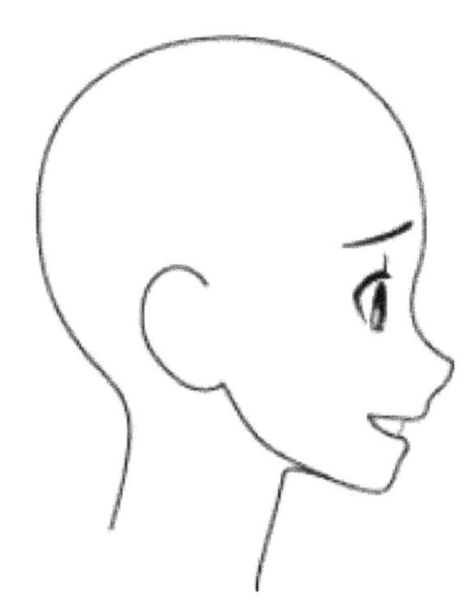

Exemplo de como desenhar um rosto cansado e triste a partir da vista lateral

Para um olhar cansado ou triste, desenhe a parte da frente das sobrancelhas, em direção ao nariz, ligeiramente levantada. Desenhe os olhos com as pálpebras superiores a meio, descendo e olhando ligeiramente para baixo.

Desenhar a boca com uma ligeira curva para baixo.

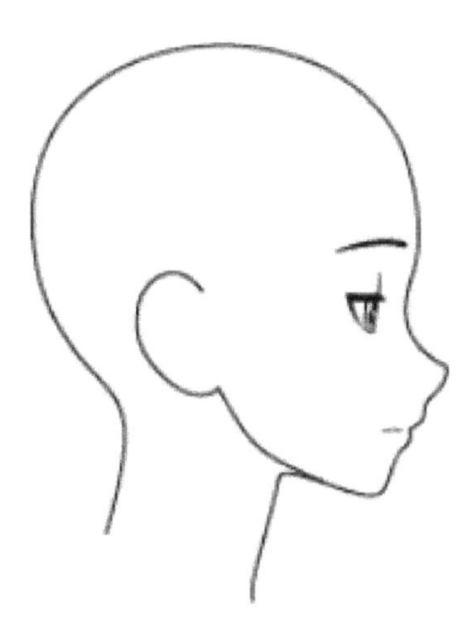

Exemplo de como desenhar um rosto perturbado a partir da vista lateral

Para um aspeto perturbado, desenhe as sobrancelhas levantadas em direção ao nariz com os olhos semicerrados. Desenhe a boca ligeiramente mais comprida do que no exemplo anterior, com o canto da boca ligeiramente mais baixo.

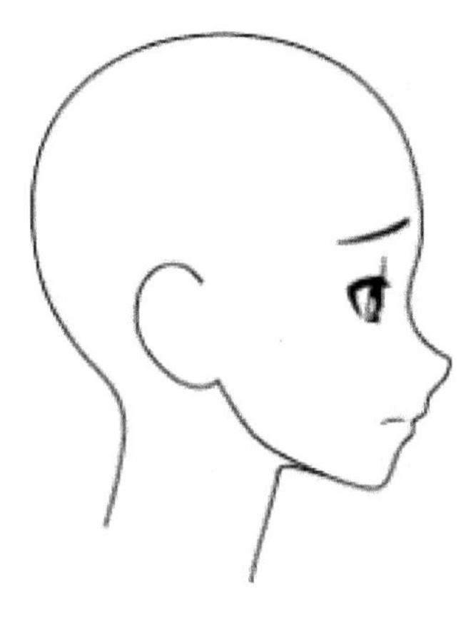

Capítulo 16: Como desenhar o pescoço e os ombros de uma personagem

Este capítulo é dedicado a explicar como desenhar pescoços, ombros e clavículas ao estilo manga de forma rápida e sem esforço.

Comece por desenhar o pescoço e os ombros. Os pescoços das personagens de manga são geralmente mais finos do que os pescoços reais, especialmente no caso das personagens femininas.

Geralmente, quanto mais estilizada for a personagem, mais fino se torna o pescoço em relação à cabeça. No entanto, existem algumas excepções, especialmente no caso de personagens de manga muito musculadas. Estas podem por vezes ter pescoços muito maiores e mais grossos do que na realidade.

No entanto, a nossa descrição centrar-se-á no tipo mais comum de pescoço e ombros de manga.

Pode desenhar o pescoço ligeiramente mais fino na parte superior, alargando-o à medida que desce, embora, na maioria dos casos, os pescoços das personagens de manga sejam simplesmente desenhados com a mesma largura em todo o lado. Entre o pescoço e os ombros encontram-se os músculos trapézios. Não se esqueça de os desenhar com uma ligeira inclinação para baixo. Pode evitar desenhá-los apenas na vista lateral, como se vê no exemplo de desenho abaixo.

Mesmo na vista lateral, é preciso ter em conta que o pescoço está inclinado para a frente, embora, em personagens mais estilizadas, nem sempre seja esse o caso.

Na vista frontal, desenhe os ombros como um quarto de círculo e, na vista lateral, como um semicírculo.

Agora, passemos ao desenho das clavículas. Na manga, por vezes, as clavículas não são mostradas de todo, mas é mais provável que sejam mostradas quando as cenas das personagens estão muito perto do olho do espetador.

Comece a desenhar as clavículas onde termina o ombro e começam os músculos trapézios. Puxe-as para baixo em direção ao meio do peito e, em seguida, incline-as novamente à medida que se aproximam do meio do corpo.

A clavícula pode ser representada na vista lateral por uma linha diagonal que termina numa pequena depressão.

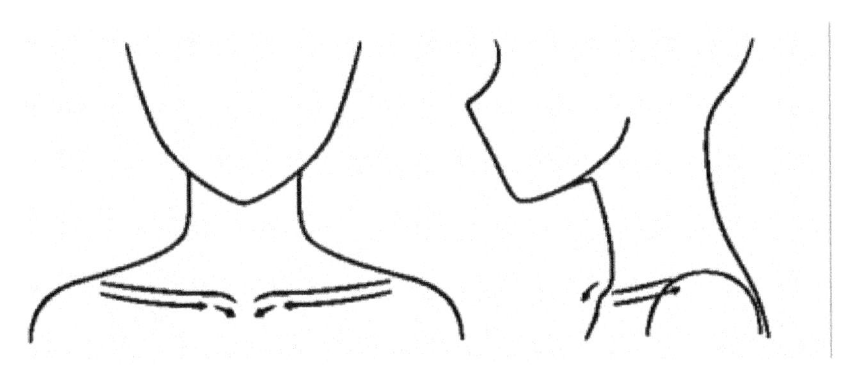

Desenha agora os músculos do pescoço. Os músculos do pescoço que são por vezes mostrados na manga são os músculos esternocleidomastoides. Estes músculos vão desde o centro das clavículas até atrás das orelhas.

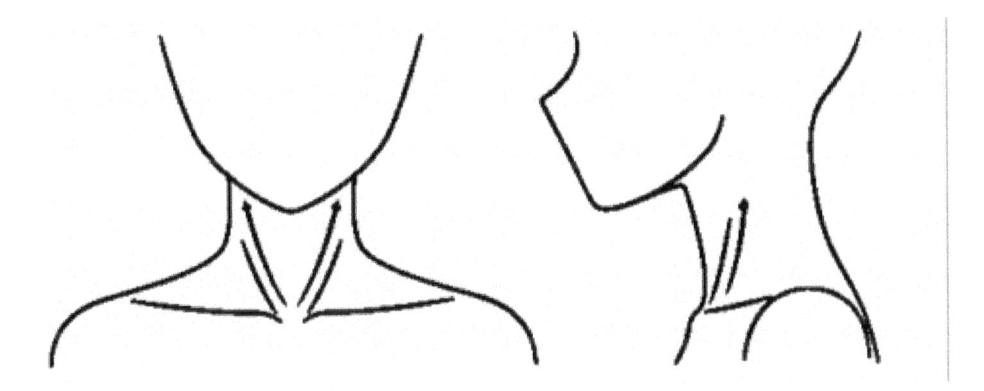

Ao desenhar os músculos esternocleidomastóideos no estilo manga, não é necessário mostrá-los completamente. Pode simplesmente dar uma ideia deles, desenhando linhas que representam as suas extremidades exteriores e que vão até ao meio do pescoço.

Capítulo 17: Como desenhar os braços de um personagem de manga

Aqui aprenderá a desenhar braços de manga com uma análise das proporções e exemplos de como desenhar braços em diferentes posições.

Os braços podem ser uma área do corpo muito difícil de desenhar devido à sua capacidade de efetuar várias combinações de torção e flexão. Para evitar erros ao desenhar, tente estimar continuamente as proporções e comparar o tamanho de uma parte do braço com outra.

Aqui vamos centrar-nos no estilo mais comum e realista de braços de manga. Os exemplos são de braços de uma jovem personagem feminina, mas pode desenhar os braços de jovens personagens masculinos da mesma forma; a única coisa que deve mudar, neste caso, é a forma do corpo.

Antes de desenhar os braços, é aconselhável analisar primeiro as suas proporções básicas.

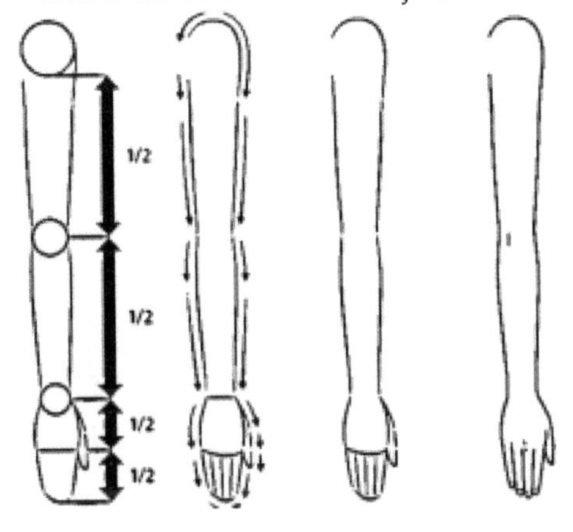

Embora estes possam variar ligeiramente de pessoa para pessoa (e de estilo para estilo), pode geralmente utilizar o desenho acima como guia e exemplo.

A distância entre a parte inferior do ombro e o cotovelo e entre o cotovelo e o pulso é geralmente a mesma. Os dedos e a palma da mão têm, portanto, o mesmo comprimento.

Lembre-se sempre de que, ao desenhar qualquer coisa, incluindo braços, comece com um esboço claro e depois passe linhas mais escuras sobre ele quando tiver a certeza de que tem as proporções correctas.

Embora possa parecer um pouco complicado, é necessário manter sempre estas proporções ao desenhar os braços, especialmente em diferentes posições.

Comece a praticar desenhando os seus braços curvados em diferentes posições.

Quando os braços se dobram, a principal alteração que ocorre é o facto de o cotovelo ficar cada vez mais saliente. Quando o braço está estendido, a zona do cotovelo tende a ser ligeiramente recortada. Quando o braço está bastante dobrado, tende a ficar uma espécie de "vinco" no lado oposto ao cotovelo.

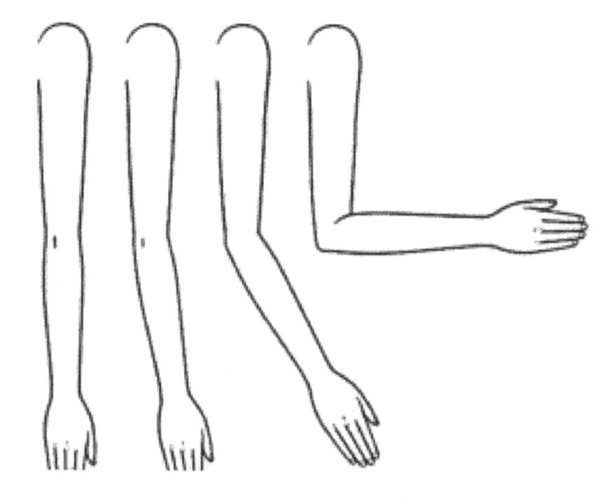

Se olhar para o braço do mesmo ponto de vista, mas com diferentes torções do pulso, este parecerá mais estreito ou mais largo em diferentes pontos.

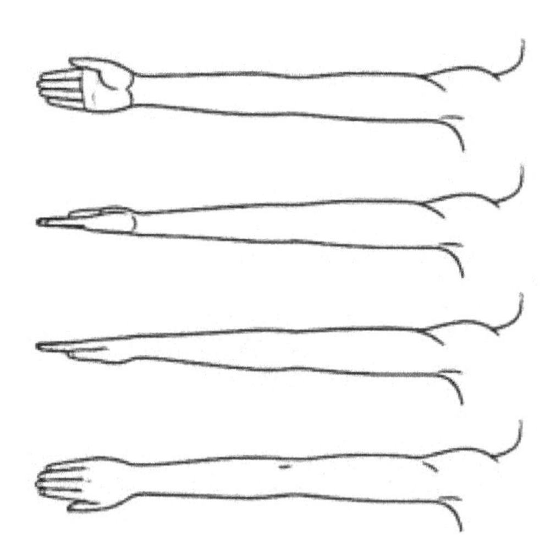

Utilizando como base um braço estendido com a palma da mão virada diretamente para o observador, pode ver as ligeiras variações abaixo à medida que o braço se torce. A área abaixo do cotovelo deve ser mais estreita se desenhar o braço com a palma da mão virada para fora do observador. Já para desenhar o pulso, será o mesmo que no exemplo básico.

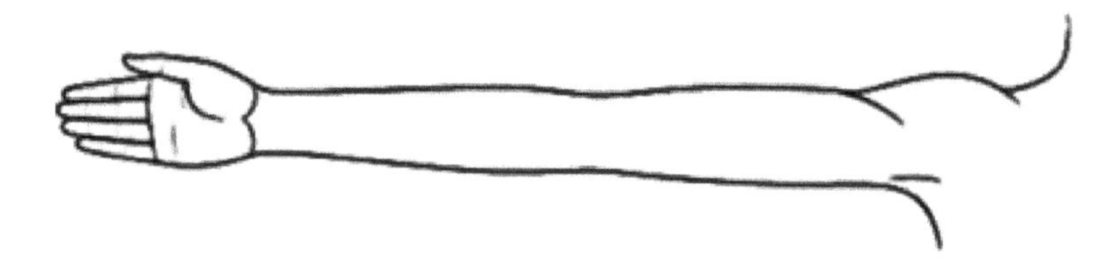

Quando puxa o braço com a palma da mão virada para cima, deve apertar mais todas as partes do braço que estão para além do cotovelo.

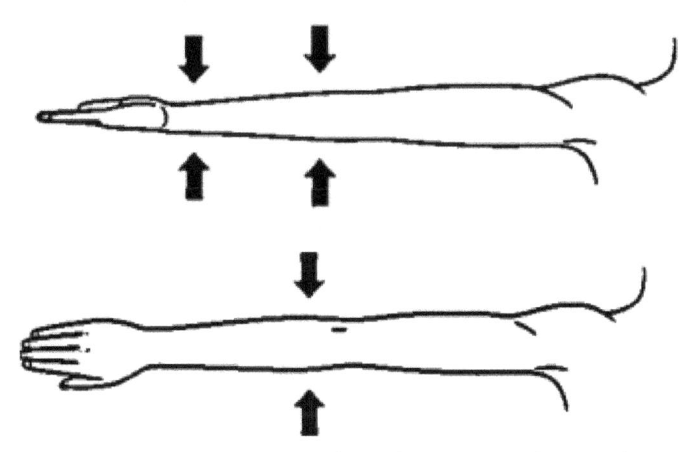

Ao desenhar o braço com a palma da mão virada para baixo, deve desenhar o pulso mais fino, uma vez que a vista do observador está de lado para a personagem.

Exemplo de braços flexíveis

Como pode ver no exemplo, este conjunto particular de braços fletidos não é muito musculado; por isso, os bíceps levantam-se ligeiramente.

Pode desenhar apenas a parte exterior dos bíceps ou, se quiser adicionar mais detalhes, pode sugerir a parte inferior dos bíceps com algumas linhas curvas.

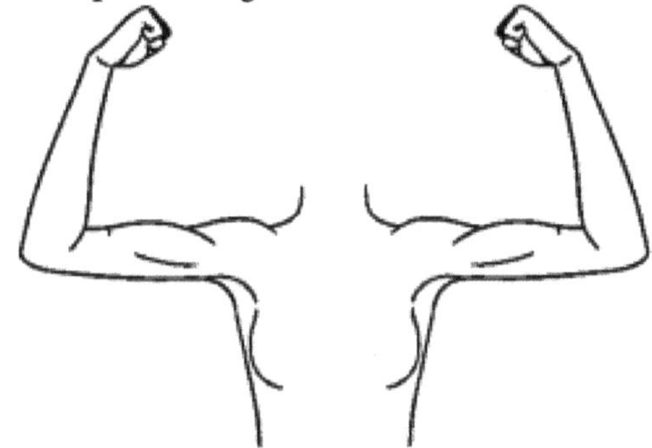

Exemplo de braços levantados

Para os braços levantados, pode desenhá-los como os braços estendidos dos exemplos anteriores. A principal diferença reside nos músculos dos ombros, que devem ser desenhados de forma mais alongada.

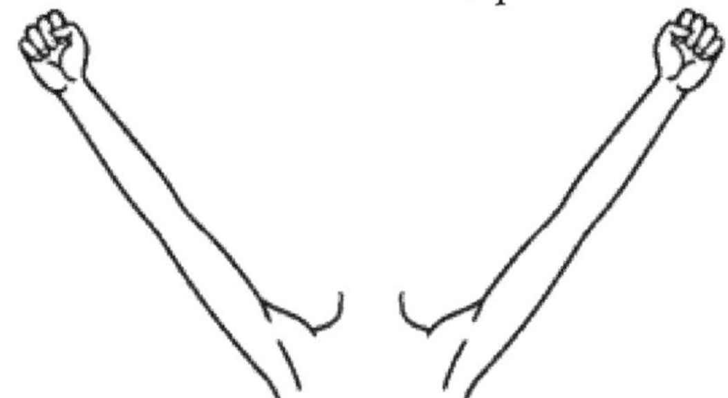

Exemplo de braços estendidos ao lado do corpo

Ao desenhar uma personagem com os braços ao lado do corpo, como se estivesse em serviço, os braços nunca devem ser desenhados completamente direitos; levante-os para além dos cotovelos e para o lado, dobrando-os ligeiramente.

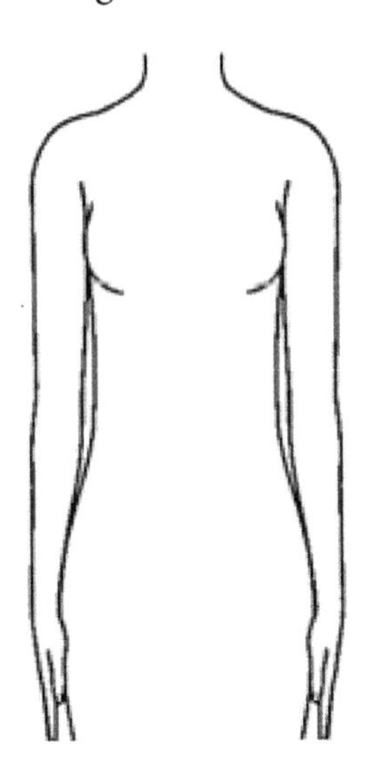

Exemplo de como desenhar braços de manga com os braços dobrados

Se quiser desenhar braços dobrados para a sua personagem, pode utilizar a seguinte técnica para o ajudar.

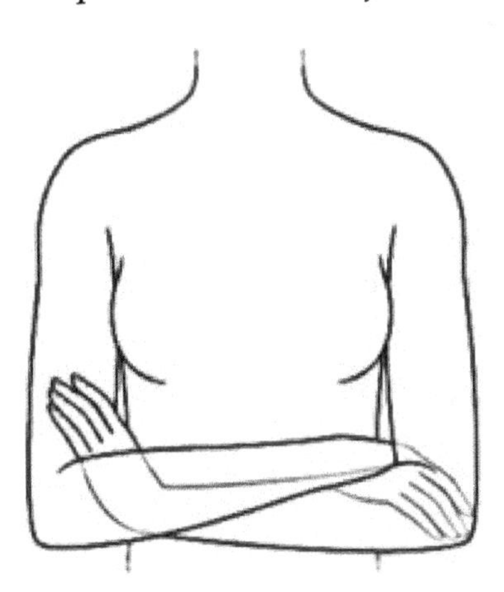

Para desenhar os braços cruzados, pense no desenho como se fosse transparente. Ser capaz de olhar para os braços como se pudesse ver através do outro braço permite-lhe saber se as partes visíveis dos braços estão posicionadas corretamente. Por exemplo, olhe para os dedos do braço esquerdo no exemplo abaixo.

Lembre-se de que não precisa de desenhar todos os pormenores ocultos, como os dedos individuais no exemplo acima. Em vez disso, desenhe como no exemplo abaixo para o ajudar a estimar o tamanho correto e a localização geral dos dedos

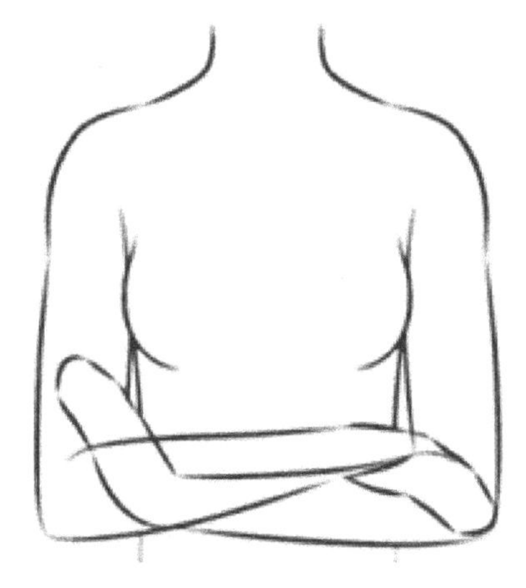

Depois de verificar se tudo está desenhado corretamente, basta apagar as partes que não quer, adicionar os detalhes mais pequenos e passar por cima do seu esboço com linhas mais escuras e mais pronunciadas.

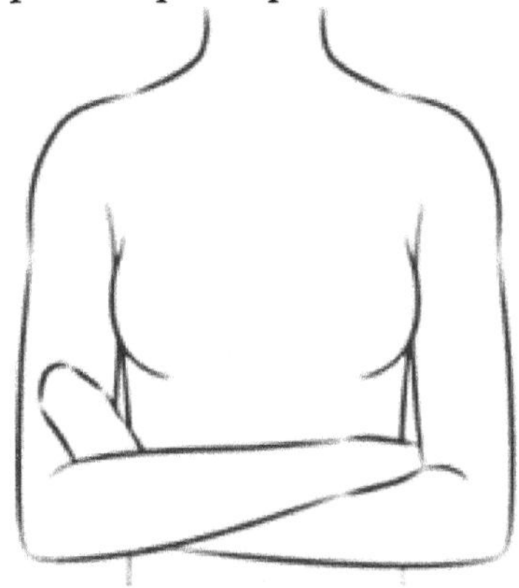

Exemplo de como desenhar os braços atrás do pescoço

Para desenhar os braços atrás da cabeça, pode seguir o exemplo anterior, fingindo que o desenho é transparente. Uma vez que esta é uma pose mais fácil de desenhar, também pode apenas estimar onde as partes ocultas dos braços devem ser colocadas.

Basta que haja espaço suficiente para que as mãos fiquem escondidas atrás da cabeça.

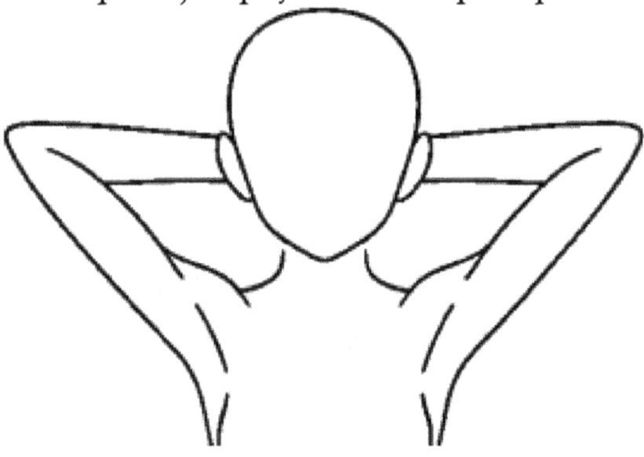

Exemplo de braços posicionados atrás das costas

Para desenhar os braços escondidos atrás das costas, pode sempre fazer um esboço e calcular onde colocar corretamente as partes escondidas.

Neste caso, basta garantir que os braços estão inclinados, para que tenham espaço suficiente para se encontrarem atrás das costas.

Além disso, lembre-se de que os braços estarão normalmente ligeiramente dobrados quando estiver nesta posição.

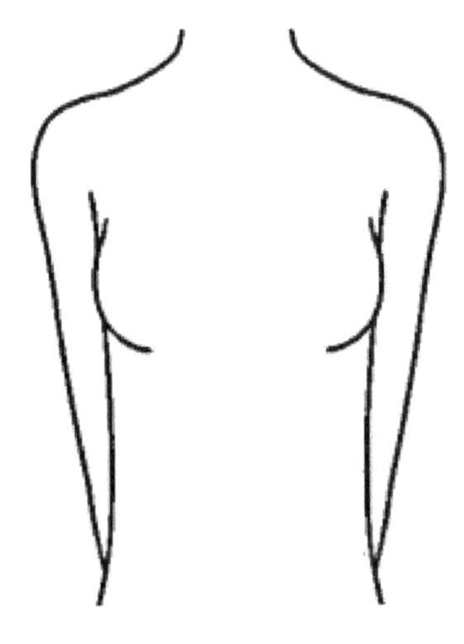

Capítulo 18: Como desenhar as mãos de personagens de manga

Neste capítulo, vou mostrar-lhe como desenhar as mãos de várias personagens, passo a passo e em diferentes posições.

Embora seja difícil ter directrizes claras sobre como desenhar mãos, pois estas podem dobrar-se de muitas formas diferentes, algumas dicas e exemplos básicos podem ser muito úteis.

Desenhar mãos de manga pode ser mais fácil do que desenhar mãos realistas, uma vez que muitos pormenores são omitidos. Mas a estrutura geral e as proporções são basicamente as mesmas.

Quando se desenham mãos, nem sempre é necessário prestar atenção aos pormenores. Por vezes, um esboço básico das principais características da mão é suficiente. Por exemplo, se estiver a desenhar uma personagem que está em segundo plano, não é fundamental desenhar as unhas.

Nas personagens de manga, as mãos femininas tendem a ser mais pequenas e finas, enquanto as masculinas são um pouco maiores.

Exemplo de como desenhar mãos com as palmas abertas

Para os principiantes, podem praticar desenhando a mão com a palma aberta e os dedos esticados para terem uma boa ideia das proporções. Também pode praticar tirando exemplos de fotografias ou outros desenhos ou utilizando as suas próprias mãos como referência.

Começar o desenho traçando a base da palma da mão e do polegar. Desenhe uma forma aproximada da palma da mão e desenhe-a como se fosse um retângulo ligeiramente arredondado. Em seguida, desenhe a forma aproximada da base do polegar para obter as proporções correctas em relação à palma.

O segundo passo é analisar as proporções da mão e dos dedos.

Os dedos totalmente esticados e a palma da mão devem ter aproximadamente o mesmo comprimento. A ponta do polegar, se desenhada num ângulo de 45° em relação à mão, deve ficar imediatamente abaixo do osso da articulação do dedo indicador.

Os dedos são compostos por três partes, sendo a distância entre as pontas dos dedos e a articulação superior a mais curta e a distância entre os nós dos dedos e a articulação inferior a mais longa.

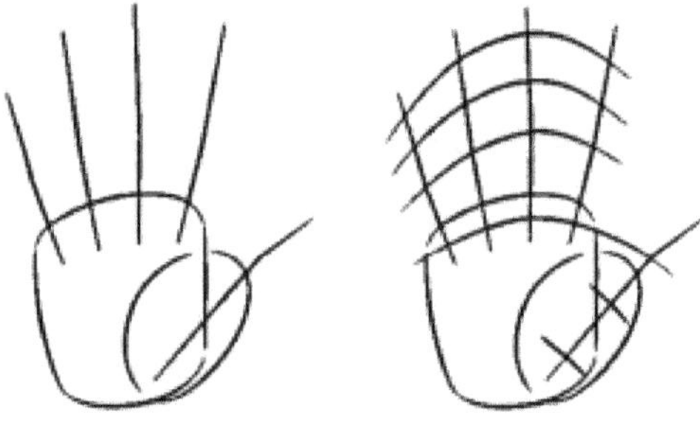

O terceiro passo é desenhar os dedos.

Desenhe as formas exteriores dos dedos e do polegar. Pode facilitar o processo desenhando vários círculos pequenos que representem a distância e a largura correctas de cada dedo. Depois, utilize os círculos como referência para saber onde colocar cada dedo.

Desenhe primeiro o dedo médio, uma vez que é o mais comprido; depois, utilize esse comprimento como referência para desenhar os restantes dedos.

O polegar deve ser quase todo reto no exterior e ligeiramente curvado no interior, para não parecer demasiado rígido. Depois, curve a extremidade superior do polegar para refletir o aspeto do polegar verdadeiro.

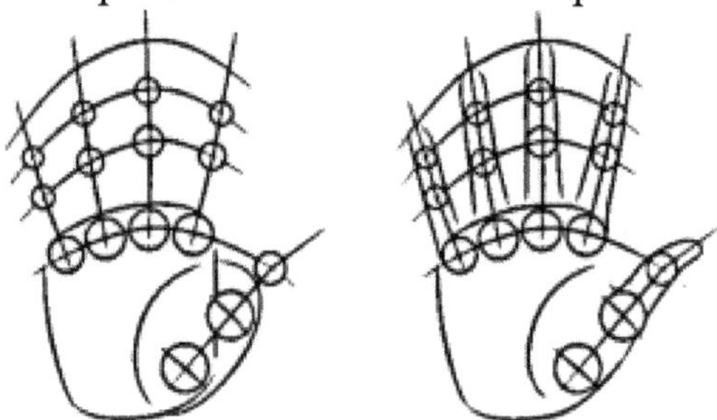

Por fim, limpe e finalize o desenho.

Traça o contorno da mão, incluindo o polegar, os dedos e a palma. Limpe o desenho e adicione pormenores como linhas e pequenas rugas ao longo da palma e dos dedos. Estes serão geralmente colocados à volta das articulações dos dedos e do polegar. Desenhe uma linha mais grossa para a forma geral da mão e uma linha mais fina para os pormenores.

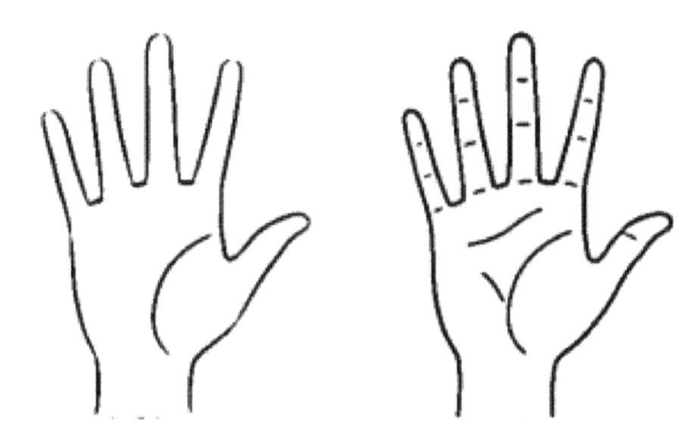

Exemplo de como desenhar a mão na vista lateral

Embora muito comum e popular, este é um pouco difícil de desenhar e requer mais prática.

Primeiro, desenhe a forma geral da mão sem o polegar ou os dedos. Depois, comece por desenhar a base da palma e do polegar a partir da vista lateral. De seguida, desenhe a forma da base do polegar.

Desenhar o polegar e os dedos.

Para fins de explicação, vou mostrar-lhe o desenho completo de toda a estrutura do dedo, mesmo as partes que não serão visíveis no desenho final, para que as possa utilizar como referência.

Fazer isto sempre que desenha é desnecessário, especialmente se estiver a desenhar em papel. No entanto, deve ter em atenção a colocação das partes invisíveis dos dedos para evitar erros quando desenhar as partes visíveis mais tarde.

Por exemplo, se só reparar na ponta do dedo mindinho e ignorar o comprimento do resto da mão, pode acabar por elevar a ponta demasiado alto ou demasiado baixo em relação ao resto da mão.

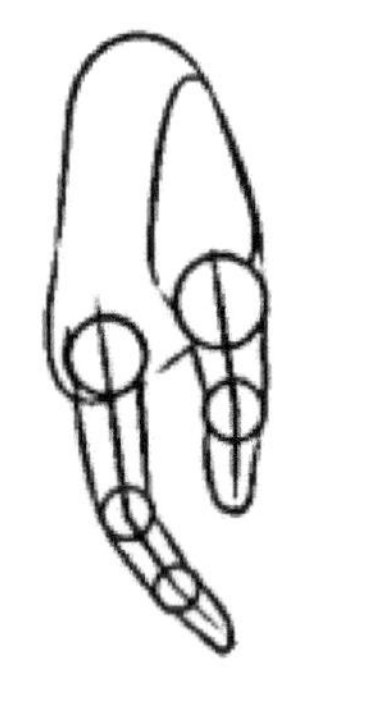

Desenhar o resto dos dedos.

Siga o passo anterior para desenhar os restantes dedos da mão.

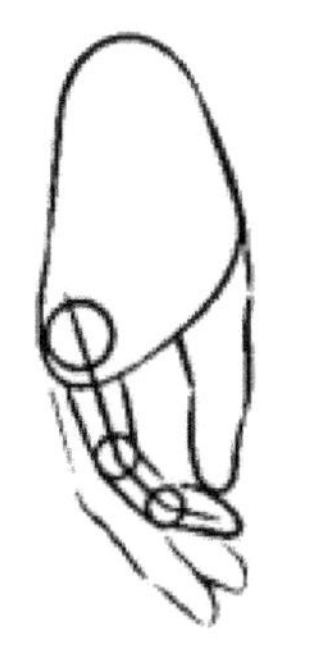
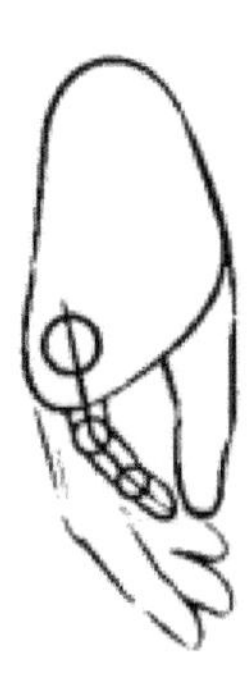

Para terminar, limpe e finalize o desenho da vista lateral.

Limpar as linhas de orientação que já não são necessárias no desenho e acrescentar pormenores como pequenas rugas à volta das articulações dos dedos e do polegar e das unhas.

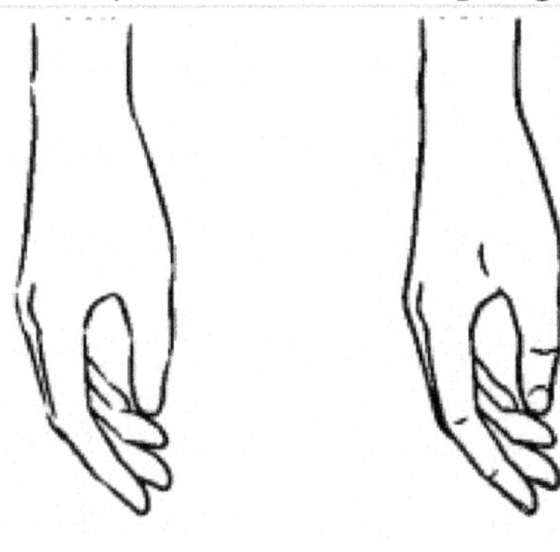

Exemplo de como desenhar mãos fechadas na vista lateral

Esta posição da mão é utilizada quando se agarra algo na mão, como um saco de compras. É semelhante à posição da mão quando se aperta um punho, mas com algumas ligeiras diferenças.

Comece, como nos outros exemplos, por desenhar a forma básica da vista lateral da palma da mão fechada. Desenhe a forma geral de toda a mão nesta posição. De seguida, desenhe a forma da vista lateral da palma da mão.

Desenha as proporções dos dedos da vista lateral da palma da mão fechada. Desenha a forma geral dos dedos e as proporções do dedo mindinho.

Desenhar os dedos na vista lateral da palma da mão fechada.

Se precisar de compreender melhor como desenhar o resto dos dedos nesta vista, pode utilizar o mesmo método dos passos dois e três do exemplo da vista lateral.

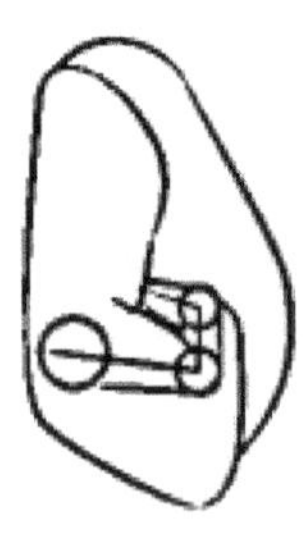

Desenhar o polegar.
Desenhe as linhas de orientação e depois desenhe o polegar.

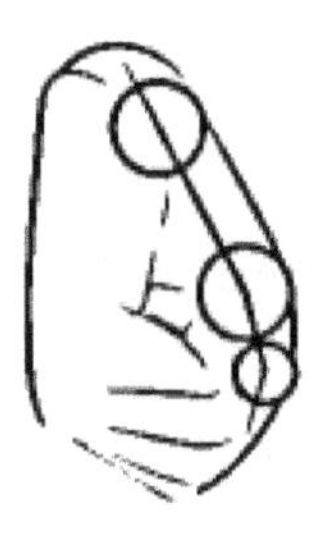

Agora desenha os detalhes da mão.

Limpe o seu desenho, apague todas as linhas de orientação e adicione os detalhes finais.

Exemplo de como desenhar uma mão de punho fechado

Comece por desenhar a forma básica das mãos. Desenhe uma forma geral aproximada do punho e depois desenhe a forma geral dos dedos combinados.

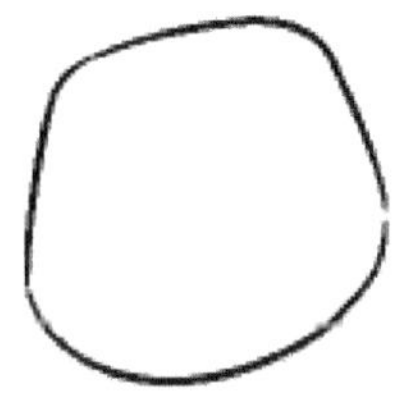

Desenhar as proporções do polegar.

Desenhe primeiro a forma da base do polegar, para obter as proporções correctas para o resto da mão.

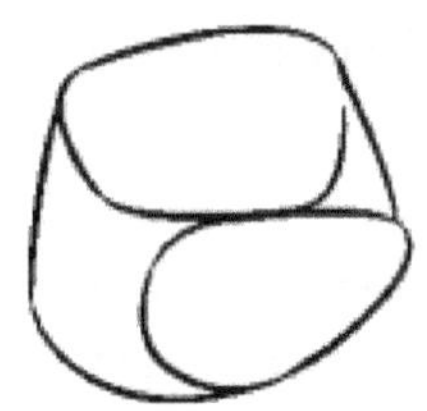

Desenhar primeiro o polegar. Desenhe as proporções dos outros dedos da mão.

Desenhe os dedos ligeiramente mais grossos do que o normal, como se estivessem esmagados, para mostrar que o punho está fechado. Além disso, não se esqueça de que, quando o punho está fechado, os dedos abrem-se ligeiramente e vão numa direção que se afasta mais da base do polegar.

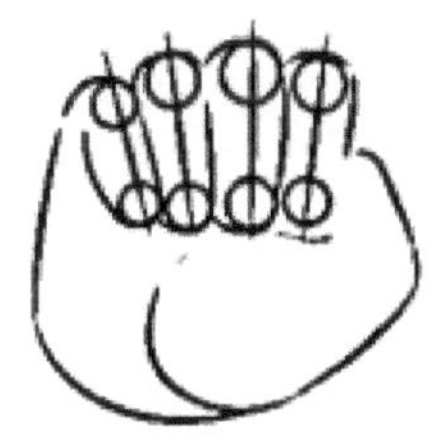

Por fim, acrescente os pormenores em falta, limpe o desenho das linhas de orientação e observe as peças acabadas.

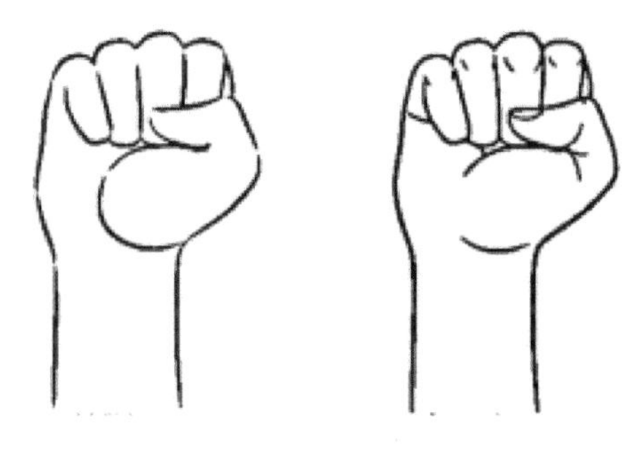

Como desenhar as várias poses das mãos

Esta secção mostra-lhe exemplos e explica como desenhar as poses de mão mais comuns das personagens de manga.

Exemplo de como desenhar uma mão que se aproxima

Esta pose de mão pode ser utilizada quando a personagem que está a desenhar está a tentar alcançar algo, a estender a mão para ajudar alguém ou a agarrar-se a uma saliência durante uma escalada.

Quando a mão está inclinada para a frente, parecerá verticalmente mais estreita se olhar para ela como se a palma estivesse virada diretamente para si. Tenha este pormenor em mente quando desenhar esta pose em particular.

Comece o desenho por delinear a mão.

Comece por desenhar um esboço da palma da mão. Pode também sugerir a base do polegar, desenhando uma única curva.

A palma da mão, neste caso, será geralmente mais larga em direção ao polegar e mais estreita em direção ao dedo mindinho.

Agora desenha o polegar e os outros dedos.

Acrescentar, na palma da mão, as formas exteriores dos dedos e do polegar. Desenhe os dedos praticamente direitos e abertos. Pode traçar o polegar como se estivesse ligeiramente dobrado.

Não se preocupe em ser demasiado preciso nesta fase, uma vez que o objetivo é simplesmente estabelecer o tamanho e a posição dos dedos.

Adicione curvas e detalhes mais pequenos.

Quando tiver terminado o contorno aproximado da mão, pode adicionar algumas das curvas mais pequenas, como as que se encontram na base de cada dedo e na parte inferior da palma. Será muito útil para estimar onde os dedos se dobram e posicionar algumas das rugas mais pequenas da mão. Siga o exemplo abaixo para a colocação das articulações e certifique-se de que as dobras do polegar e as dobras leves de alguns dedos são colocadas corretamente.

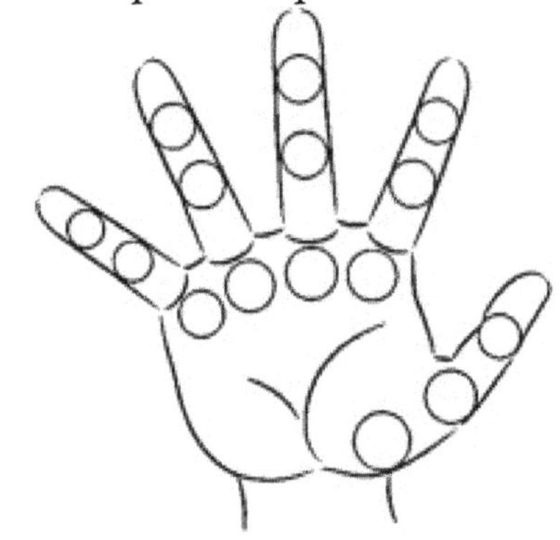

Por fim, termine o desenho acrescentando as linhas e as rugas ao longo da palma da mão e dos dedos, e passe por cima do seu desenho com linhas mais escuras.

Como já referi, as rugas situam-se geralmente à volta das articulações dos dedos. As duas linhas no topo da palma da mão estão normalmente à volta da mesma área dos nós dos dedos. Um erro que os artistas principiantes tendem a cometer é desenhar os dedos a dobrarem-se diretamente a partir do topo da palma, quando na realidade se dobram à volta destas duas linhas.

Exemplo de como desenhar uma mão a atirar algo

Esta pose é de alguma forma semelhante à anterior e pode ser utilizada, por exemplo, para mostrar que uma personagem está a lançar um feitiço ou a indicar a alguém para avançar.

Começar, como sempre, por desenhar a palma da mão.

Comece com um esboço da palma da mão. No interior da palma, desenhe uma sugestão da parte inferior do polegar. Para este exemplo, a palma da mão será inclinada num ângulo de 45 graus e mover-se-á ligeiramente na direção do observador.

Desenhar os dedos e o polegar.

Desenhe as formas exteriores dos dedos abertas como um leque, de forma bastante uniforme à volta da palma, com o polegar puxado para trás. A partir dos nós dos dedos, dobre o dedo mindinho e o anelar um pouco para dentro, em direção à palma. Para obter este aspeto, desenhe-os como se estivessem cortados um pouco da palma da mão.

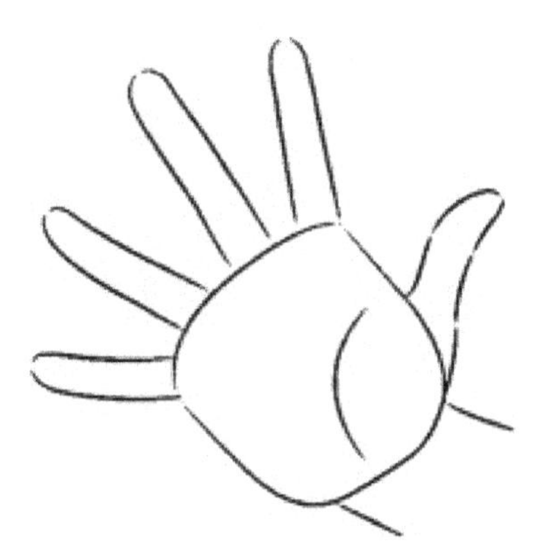

Para posicionar corretamente os dedos e o polegar, utilize a imagem abaixo como referência.

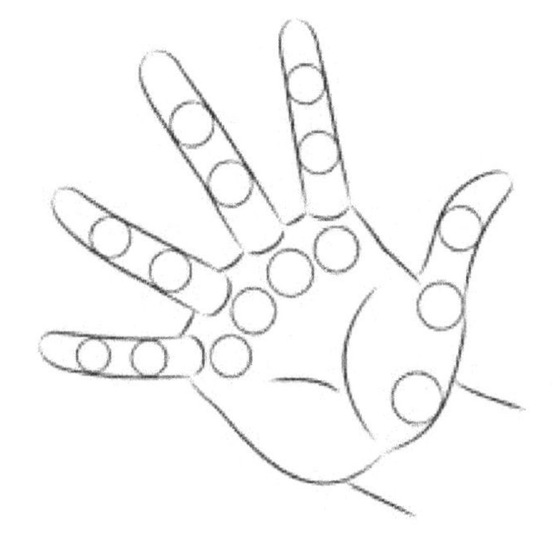

Agora, adicione as dobras das mãos e os pormenores mais pequenos.

Adicione as curvas mais pequenas da mão na parte inferior da palma e à volta dos dedos. Lembre-se de que algumas das rugas serão automaticamente suavizadas quando o polegar for puxado para trás. Para realçar este facto, também pode omitir algumas das rugas que ainda seriam naturalmente visíveis.

Depois de adicionar todos os pormenores mais pequenos das mãos, pode passar por cima do seu desenho com linhas mais escuras e sólidas.

Exemplo de como desenhar uma mão a fazer um sinal de vitória.

O sinal de vitória é provavelmente um dos gestos de mão mais comuns. Na manga, as personagens fazem-no normalmente quando tiram fotografias.

Comece o seu desenho, como sempre, por esboçar a palma da mão.

Tal como nos dois exemplos anteriores, comece por desenhar a palma da mão e a base do polegar. Nesta posição da mão, alguns dedos vão apertar a palma, por isso desenhe-a mais estreita do que o normal.

Desenhar os dedos e o polegar.

Desenhe as formas exteriores do polegar e dos dois dedos que estão a sair. Nesta pose, o polegar será esboçado como se fosse uma inversão da sua posição natural.

Nesta fase, basta desenhar os dois dedos dobrados como se fossem uma só forma.

O terceiro passo é desenhar os dedos dobrados e as dobras mais pequenas da mão.

Adicione as formas individuais dos dois dedos dobrados e as dobras mais pequenas da mão. As curvas serão colocadas ao longo da parte inferior da palma da mão e entre os outros dois dedos. Apague as linhas extra do passo anterior para que o seu desenho fique semelhante ao exemplo abaixo.

Observando a figura abaixo, é possível ver como colocar as juntas corretamente. As juntas sobrepostas de outras partes da mão não são mostradas para evitar confusão no desenho.

Termine o seu desenho.

Para terminar o seu trabalho, acrescente pormenores como as unhas e as pequenas linhas e curvas da mão. A unha do polegar deve ser mais estreita, uma vez que só é visível de um ângulo. A única outra unha totalmente visível será a do dedo mindinho. No dedo anelar, pode desenhar apenas uma pitada da unha.

Nesta vista, a maior parte das linhas na palma da mão serão cobertas pelos dedos, mas ainda pode desenhar pequenas sugestões em cada lado da mão. Também pode adicionar uma curva bastante grande na dobra central do polegar. O resto das curvas serão feitas à volta das áreas das articulações dos dedos.

Exemplo de como desenhar uma mão a apontar

Esta pose de mão é útil quando a personagem está a apontar para algo. Por exemplo, um avião no céu ou alguém que a personagem conhece.

Uma vez que a maioria dos dedos nesta pose estão escondidos, também é bastante fácil de desenhar.

Comece sempre por desenhar a palma da mão. Uma vez que a mão é vista a partir da parte superior da palma, não é necessário mostrar o polegar como nos outros exemplos.

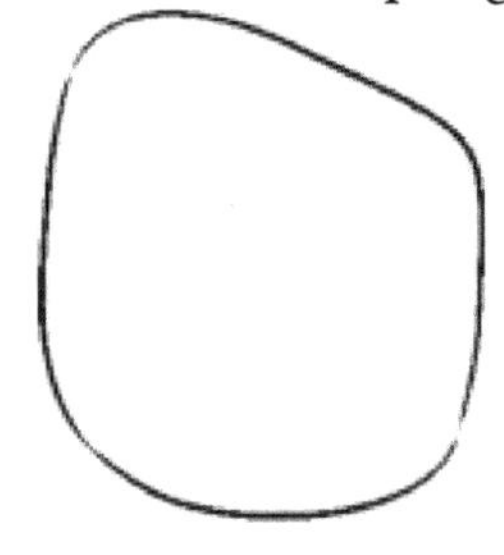

Desenhar o polegar e o indicador.

Isto fará com que pareça que está a referir-se a uma determinada direção e a apontar para algo. Uma vez que a mão é vista num ângulo e o dedo indicador aponta para longe do observador, deve desenhá-lo mais pequeno e mais curto.

Desenhar as articulações dos dedos.

Aperfeiçoe a forma da mão adicionando curvas mais pequenas. Neste caso, devem ser os nós dos dedos e uma pitada de osso ao longo do pulso.

Utilize o exemplo abaixo como orientação para desenhar corretamente as várias partes da mão.

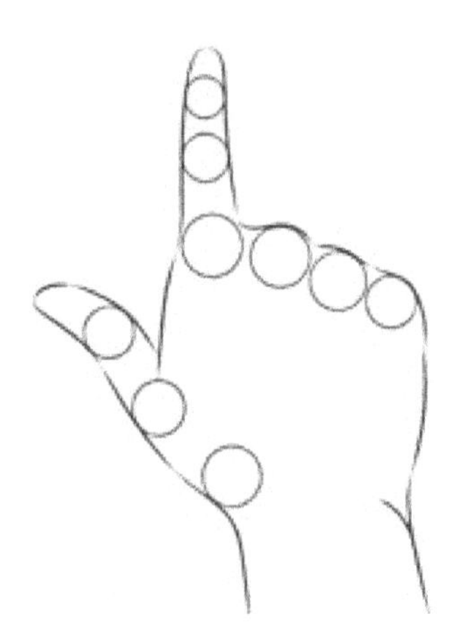

Terminar o desenho.

Adicione as unhas e as pequenas rugas ao longo das articulações dos dedos e do polegar. Tal como na pose anterior, desenhe a unha do polegar mais estreita, uma vez que só é vista de um ângulo.

Exemplo de como desenhar uma mão com um punho em forma de garra

A mão que agarra pode ser útil se quiser desenhar uma personagem a tentar agarrar-se a algo.

Começar sempre o desenho com o contorno da palma da mão. Trace o contorno da palma da mão com a base do polegar. Neste caso, ambos serão desenhados na direção horizontal.

Passar agora a desenhar os dedos e o polegar.

Desenhar os dedos para esta pose é provavelmente a parte mais difícil de todos os exemplos que vimos; é por isso que temos de começar por organizar corretamente os dedos dentro da mão.

Pode ver a posição correcta das articulações visíveis para esta pose no exemplo abaixo.

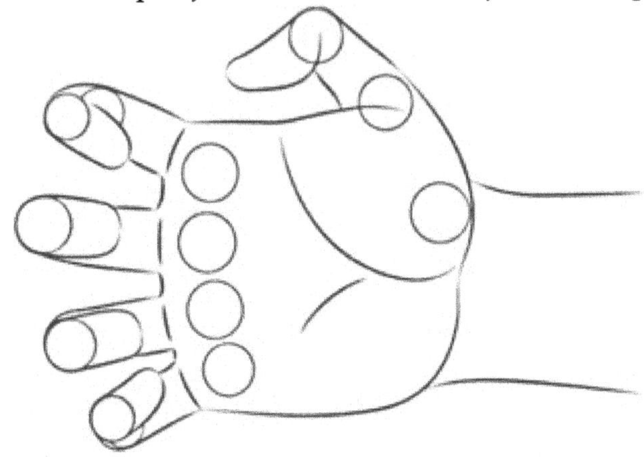

Depois de veres a disposição correcta das articulações, podes desenhar os dedos e o polegar. As partes dos dedos, desde os nós dos dedos até à primeira articulação, são bastante fáceis de desenhar. Desenha estas partes em forma de leque, tal como nos exemplos anteriores.

O próximo conjunto de secções está virado para o observador; por isso, serão colocadas num ângulo agudo que as faz parecer muito curtas ou quase invisíveis. Tenha este passo em mente se quiser que a pose da sua personagem pareça realista.

Desenhar as pontas do polegar e do indicador apontando ligeiramente mais para dentro,

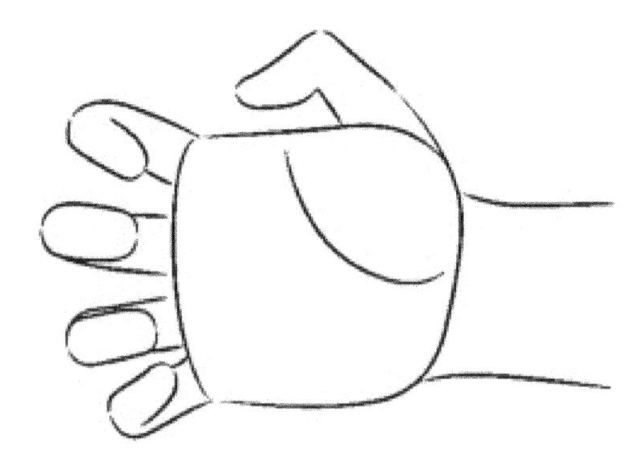

Adicione os pormenores e as curvas mais pequenas no interior da mão.

Adicione curvas, como a parte inferior da palma da mão, e curvas e rugas na parte inferior dos dedos.

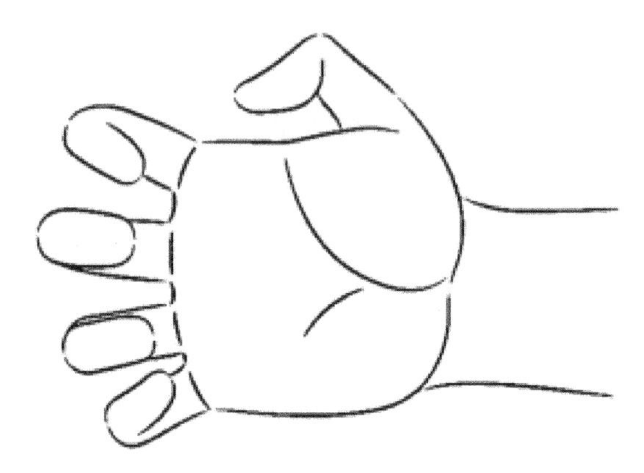

Desenhe as linhas ao longo da palma da mão e da unha para terminar o seu trabalho.

Tal como as outras poses, a miniatura será visível de um ângulo mais amplo, pelo que deve desenhá-la mais estreita. O último passo é apagar todas as linhas desnecessárias e terminar o desenho.

Para tornar as secções dos dedos, desde a última articulação até à ponta, ligeiramente angulares, afaste as unhas um pouco mais das pontas dos dedos. Isto fará com que a parte inferior dos dedos pareça estar em ângulo e a apontar cada vez mais para o observador.

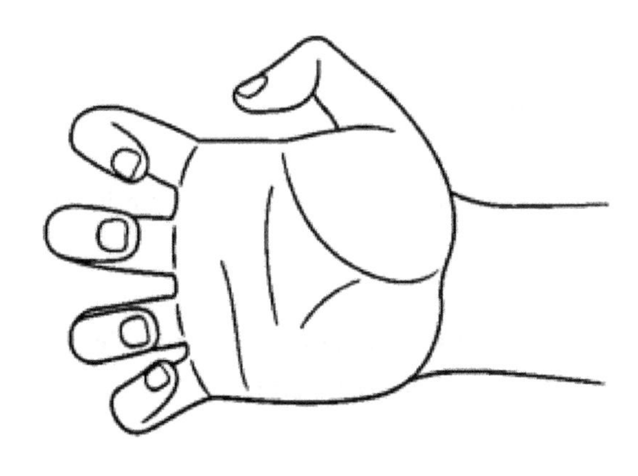

Exemplo de desenho de uma mão a apontar um dedo na direção do observador

Esta é uma espécie de pose que aponta diretamente para o rosto do espetador. Na manga, as personagens Tsundere são frequentemente desenhadas desta forma.

Comece sempre a desenhar a partir da palma da sua mão.

Para esta pose, pode começar por desenhar a forma do contorno combinado da palma da mão e a base do polegar. A palma da mão nesta vista está desenhada num ângulo muito agudo e, por isso, parecerá muito estreita.

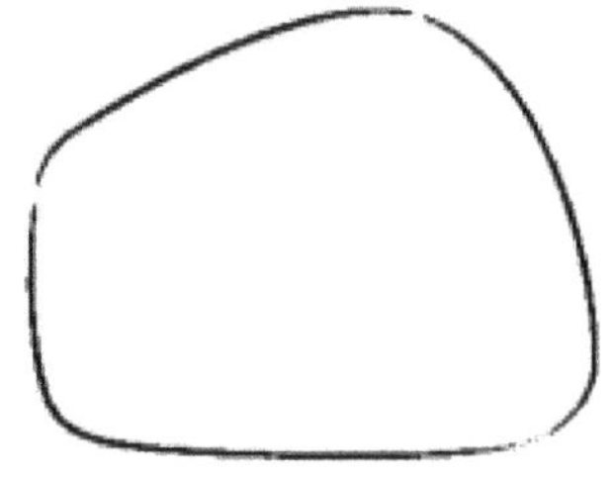

Agora desenha o polegar e o indicador.

Desenhe o dedo indicador muito maior do que o normal, especialmente em direção à ponta. Isto dar-lhe-á o típico aspeto de dedo apontado para a cara. De seguida, desenha o polegar e a forma combinada de todos os outros dedos.

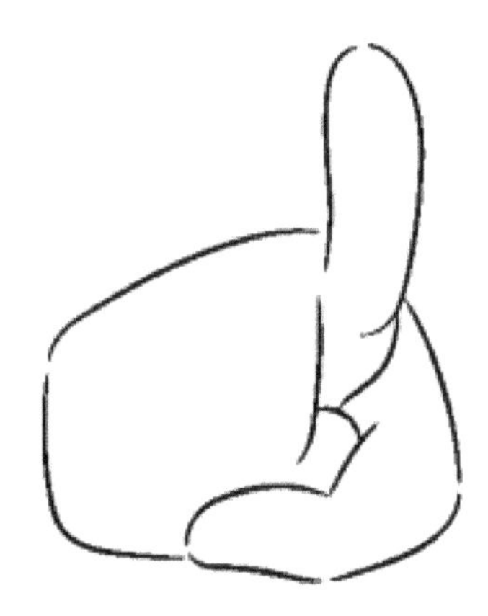

Desenhe os outros dedos e as curvas mais pequenas.

Adicione as formas individuais dos outros dedos, os nós dos dedos, as dobras e as curvas mais pequenas à volta do polegar.

Para compreender como posicionar corretamente, pode utilizar o exemplo abaixo com todas as orientações.

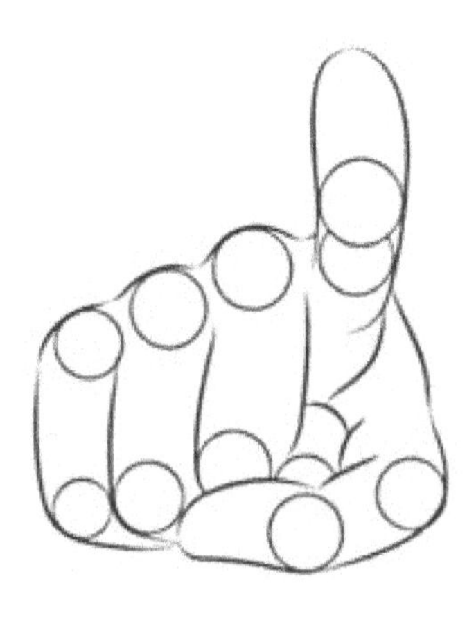

Agora pode terminar o seu desenho.

Para completar o seu trabalho, adicione pequenas curvas à volta do indicador e do polegar e apenas um vinco para o dedo médio. Pode também acrescentar o desenho da unha no polegar, mais uma vez mais apertado do que o normal devido ao ângulo de visão.

Quando tiver terminado de acrescentar pormenores, passe por cima do desenho com linhas mais escuras para terminar.

Capítulo 19: Como desenhar as unhas de uma personagem

Nesta parte do guia, são descritos diferentes métodos para desenhar pregos.

Comecemos com o exemplo da mão ainda sem as unhas desenhadas

Antes de desenhar qualquer tipo de unhas, deve começar por desenhar a mão. A pose do exemplo abaixo é perfeita para mostrar as unhas e será utilizada em todos os exemplos.

É também importante notar que, na manga, as mãos podem por vezes ser desenhadas sem unhas; isto acontece particularmente quando a mão é vista à distância. A mão fica um pouco parecida com o exemplo abaixo.

Exemplo de como desenhar unhas curtas

Ao desenhar unhas curtas e realistas, deve contornar completamente cada unha. Desenhe as extremidades interiores mais arredondadas e as pontas um pouco mais planas. Pode também deixar algum espaço entre as pontas das unhas e as pontas dos dedos.

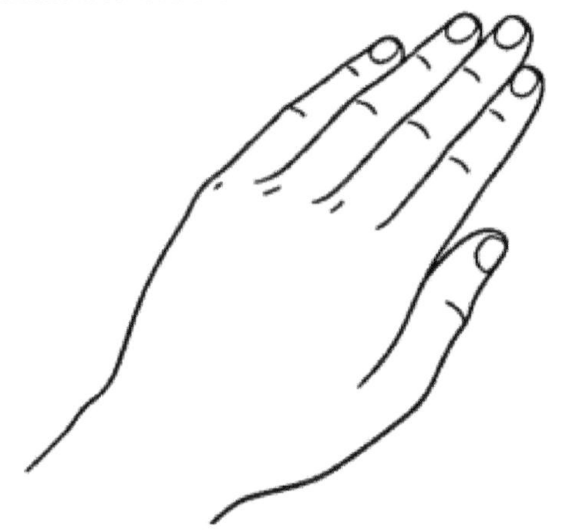

Exemplo de como desenhar unhas simplificadas

Na manga, como se pode observar na imagem abaixo, as unhas são muitas vezes desenhadas de forma a não estarem totalmente delineadas, havendo um espaço perto das extremidades interiores. Isto deve-se provavelmente ao facto de não haver espaço entre o dedo e a unha nesse ponto.

Com exceção deste pormenor, pode desenhar estes pregos exatamente como no primeiro exemplo.

Exemplo de como desenhar unhas compridas

Segue o primeiro exemplo e desenha-as mais compridas para as unhas. Também pode optar por dar-lhes formas precisas.

No entanto, é geralmente uma boa ideia desenhar a mão por completo e depois desenhar as unhas sobre ela.

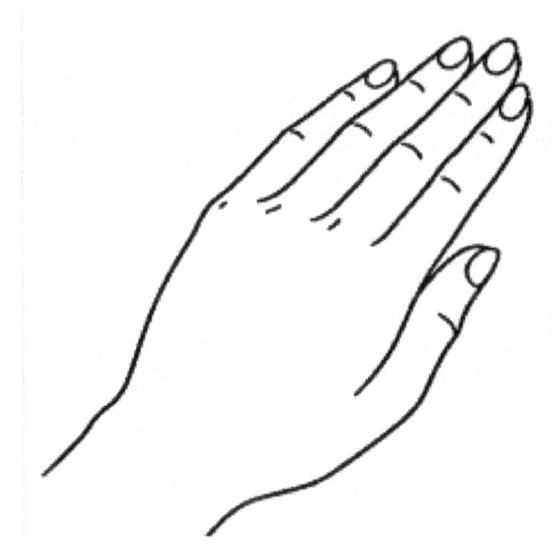

Exemplo de como desenhar unhas compridas simplificadas

À semelhança do exemplo das unhas curtas, as unhas compridas também podem ser desenhadas num estilo manga com um espaço nas extremidades interiores.

Finalmente, como em todos os desenhos, podes decidir se queres deixar as mãos a preto e branco ou se queres colorir as mãos e as unhas. No caso das unhas coloridas, geralmente desenha-se primeiro as unhas compridas e depois basta preenchê-las com a cor desejada.

Além disso, se quiser acrescentar um ponto brilhante, deixe os lados das unhas em branco.

Capítulo 20: Como desenhar as pernas femininas de uma personagem de manga

Aqui, vai aprender a desenhar pernas de personagens femininas com proporções, passo a passo, e com decomposição de formas, tanto de frente como de lado.

As pernas das personagens de Manga são normalmente desenhadas de forma a parecerem-se muito com pernas reais. Se pretender utilizar personagens mais sofisticadas, tenha em atenção que as proporções podem ser muito diferentes e fora da norma.

Desenhe as proporções das pernas.

A imagem abaixo mostra que a parte das pernas que vai desde a parte inferior do corpo até à parte inferior dos joelhos terá aproximadamente a mesma altura que a parte que vai desde a parte inferior dos joelhos até à parte inferior dos pés. Além disso, note que o exemplo abaixo tem em conta a perspetiva, o que significa que a perna de trás no exemplo da vista lateral é mais pequena do que a perna da frente e que a linha que indica a parte inferior das pernas está ligeiramente acima dos dedos dos pés na vista da frente.

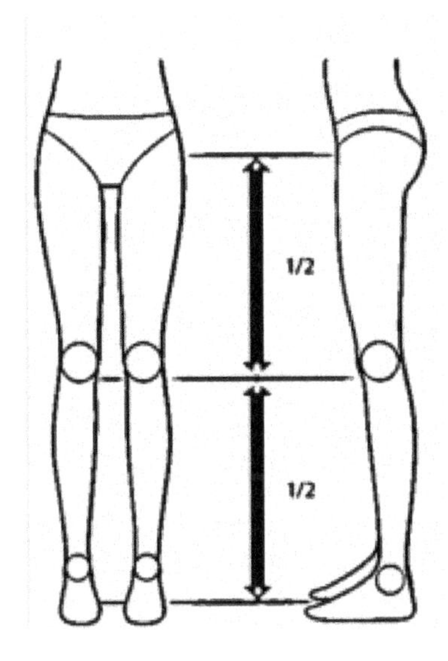

Desenhar a forma básica das pernas

Na vista frontal, as pernas curvam-se para dentro em direção ao centro do corpo e depois curvam-se para fora e para dentro a seguir aos joelhos.

Em vez disso, na vista lateral, as pernas curvam-se para trás e depois para a frente, dos joelhos para baixo.

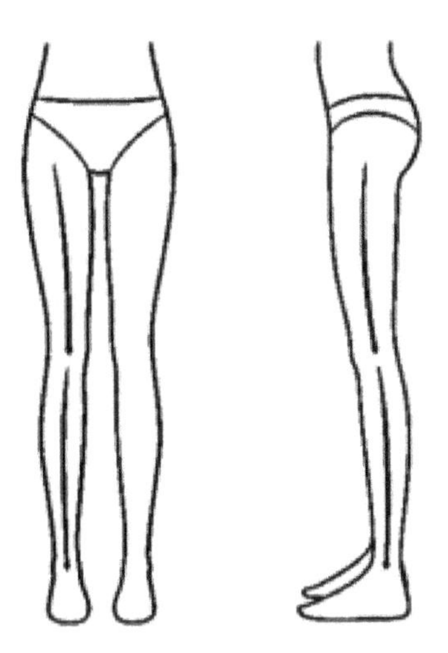

Terceira etapa: desenhar as curvas das pernas

Quando desenha as pernas de uma personagem feminina de manga, as curvas que vai desenhar são normalmente bastante suaves e sem linhas adicionais.

Embora diferentes personagens de manga possam ter pernas de aspeto diferente, como mais finas, mais grossas ou mais musculadas, pode utilizar a ilustração acima como exemplo de como desenhar algumas curvas gerais das pernas.

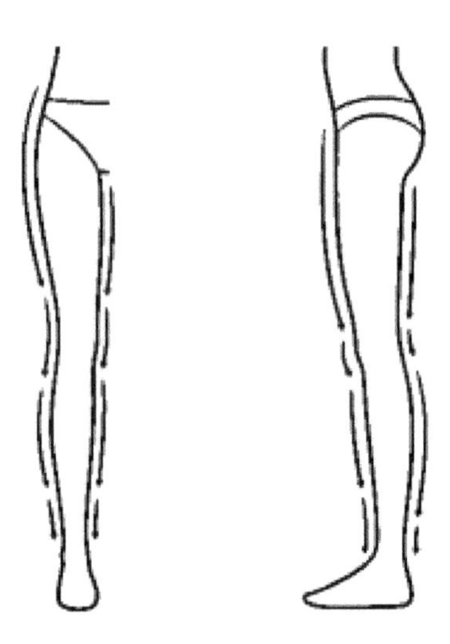

Desenhar a forma final e os pequenos pormenores

Agora, desenhe a forma exterior das pernas e acrescente pormenores mais pequenos, como pequenas linhas curvas colocadas nos joelhos e tornozelos. Lembre-se de ter sempre em mente todas as proporções e curvas ao desenhar.

Se quiser desenhar a sua personagem no papel, desenhe primeiro as linhas claras e depois passe por cima do desenho com linhas mais escuras até sentir que atingiu as proporções correctas.

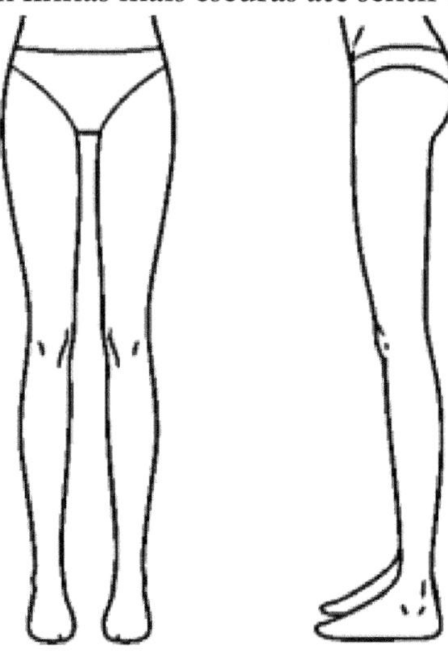

Capítulo 21: Como desenhar pés de anime e manga em diferentes posições

Neste capítulo, encontrará algumas dicas sobre como desenhar pés ao estilo manga em diferentes posições e de diferentes pontos de vista.

Comece sempre por desenhar a forma geral e as formas principais do pé. Se não se trata apenas de desenhar uma cena que concentra a atenção nos pés, mas em toda a personagem, deve começar por desenhar as proporções gerais da personagem.

Ao desenhar pés, há duas partes principais a considerar: o pé propriamente dito e os dedos. Embora os dedos possam mover-se independentemente uns dos outros, durante a maior parte dos movimentos normais do pé, normalmente permanecem juntos.

Embora nos concentremos nos pés neste tutorial, também é muito importante ter em mente as posições das pernas em relação aos pés. É fácil esquecer a posição das pernas e do resto do corpo se estiver a desenhar apenas os pés, mas mesmo assim deve tê-los em conta. Estar ciente de tudo pode ajudá-lo a evitar erros.

Se utilizar o exemplo de uma personagem que está de pé sobre os dedos dos pés, a posição da perna em relação ao pé não se altera e as pernas permanecem rectas.

Além disso, lembre-se de manter as mesmas proporções de pés em todas as diferentes posições.

É importante manter a coerência entre várias versões da mesma personagem. Um pé desenhado numa cena de uma manga deve ter as mesmas características quando desenhado numa cena diferente e de um ângulo diferente, mesmo que as duas vistas estejam a 180 graus de distância. Este princípio é válido desde que a personagem que está a desenhar não se mova.

Como desenhar os pés da manga de diferentes pontos de vista

Os pés são compostos por muitas formas irregulares, o que os torna uma das partes do corpo mais complexas de desenhar.

Os pés das personagens de manga, tal como muitas outras partes do corpo desenhadas neste estilo, são versões muito simplificadas dos pés reais.

Esta secção fornece dicas e exemplos úteis que podem ajudá-lo a compreender e a aprender a desenhar pés em estilos manga a partir de diferentes perspectivas.

Os pés das personagens de Manga são menos pormenorizados do que outras partes do corpo. O tamanho e a forma dos pés podem variar em função de muitos factores, mas os mesmos princípios podem ser aplicados para desenhar todos os pés. Este exemplo explica como desenhar os pés de um jovem adulto.

O que lhe interessa agora é obter as proporções gerais dos pés. Para os pés em qualquer vista, comece sempre por desenhar a forma geral do pé. Deixe os pormenores mais pequenos, como os dedos e as unhas dos pés, para o fim do desenho; isto ajudá-lo-á a evitar erros quando começar a incluir as várias características no seu desenho.

Assim, tal como mencionado anteriormente, comece por desenhar o contorno geral do pé.

O pé deve ser mais largo na zona dos dedos e mais estreito no calcanhar.

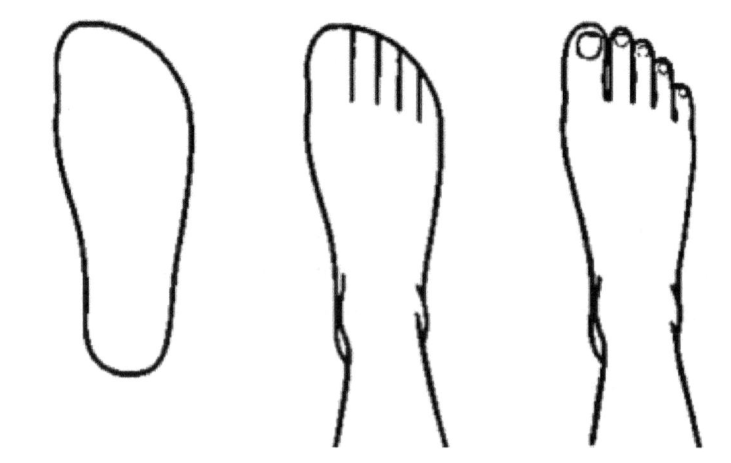

Exemplo de como desenhar pés com uma vista inferior

Desenhar os pés de uma manga com uma vista inferior é semelhante a desenhá-los de cima. Uma coisa que deve ter em conta quando desenha os pés a partir da vista inferior é que, muitas vezes, significa que os pés não estão numa superfície, a não ser que essa superfície seja transparente; isto significa que os dedos podem curvar-se um pouco mais para baixo e parecerem ligeiramente mais curtos.

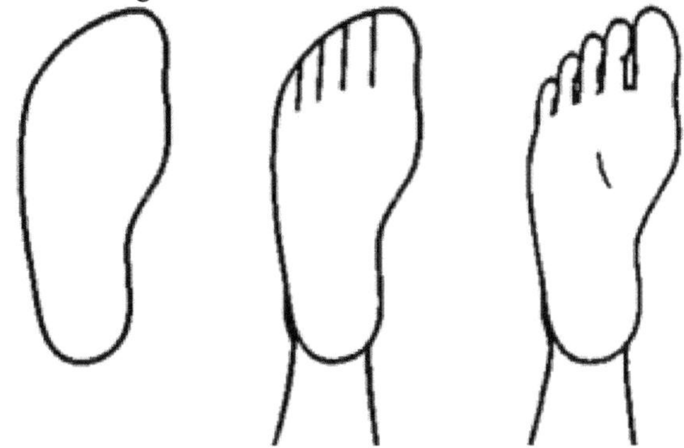

Exemplo de como desenhar pés a partir da vista lateral exterior

Comece sempre por desenhar a forma do pé sem prestar atenção aos pormenores. Se desenhar o pé do lado do dedo grande, todos os outros dedos serão visíveis, independentemente do ângulo de visão.

Em relação à vista lateral, desenhar o pé com o calcanhar mais alto e os dedos mais baixos.

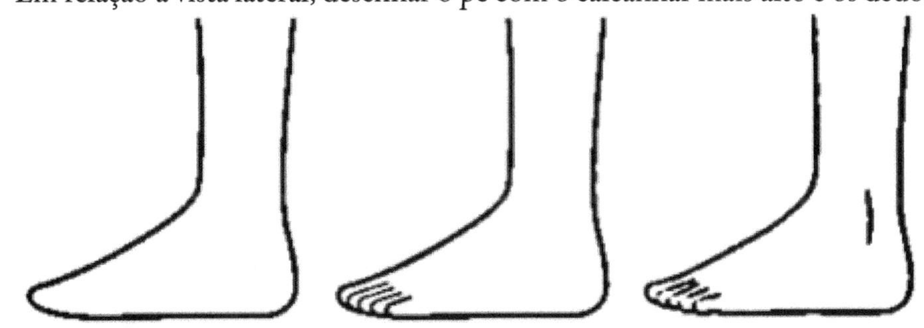

Exemplo de como desenhar pés a partir da vista lateral interior

Em vez disso, desenhe um arco entre os dedos e o calcanhar quando desenhar o pé deste lado. Uma vez que a vista deste pé começa do lado do dedo grande do pé, não é necessário desenhar os outros dedos porque não serão visíveis para o observador.

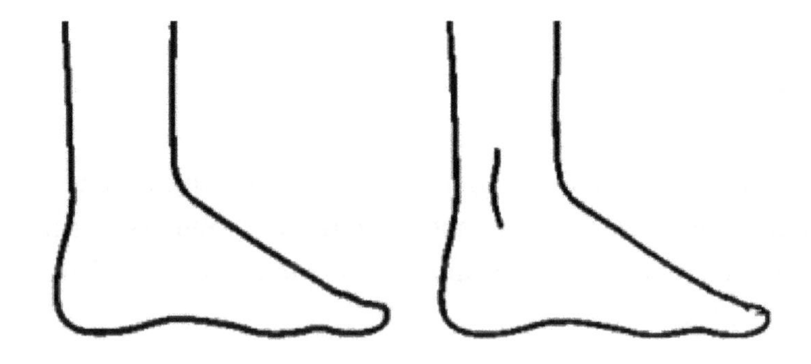

Exemplo de como desenhar pés a partir da vista frontal

Ao desenhar o pé na vista frontal, é importante notar que nem todos os dedos são mostrados tão largos como o pé real; este é um erro comum que muitas pessoas cometem quando desenham o pé de uma personagem a partir desta vista.

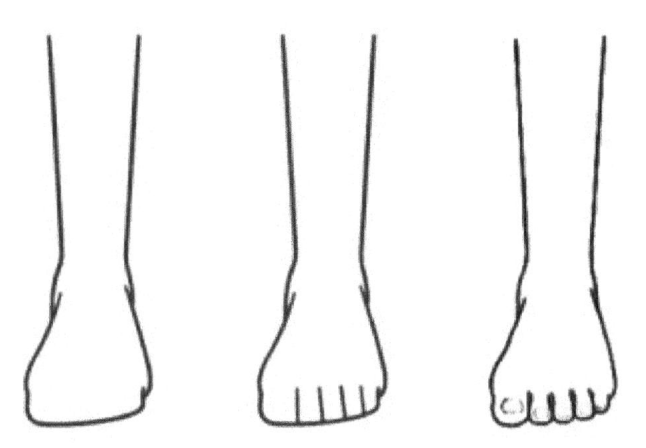

Para o ajudar a compreender as proporções, pode desenhar linhas para indicar a largura de cada dedo. Não te esqueças de completar este passo antes de desenhar os detalhes.

Exemplo de como desenhar pés a partir do retrovisor

Quando vista por trás, a parte do calcanhar do pé é mais larga em direção à base e mais estreita em direção ao topo. Desenhe a forma geral do dorso do pé tendo em conta este pormenor.

Desenhe uma forma curva em cada lado do dorso do pé, acima do calcanhar, para realçar os ossos. Não se esqueça de desenhar a parte inferior do calcanhar com uma ligeira curva. De seguida, desenhe a parte da frente do pé, que o dorso do pé irá cobrir parcialmente. Os dedos dos pés não são visíveis nesta vista, uma vez que estão apoiados no chão.

Finalmente, pode desenhar uma linha acima do calcanhar para indicar o tendão de Aquiles (o cordão do calcanhar).

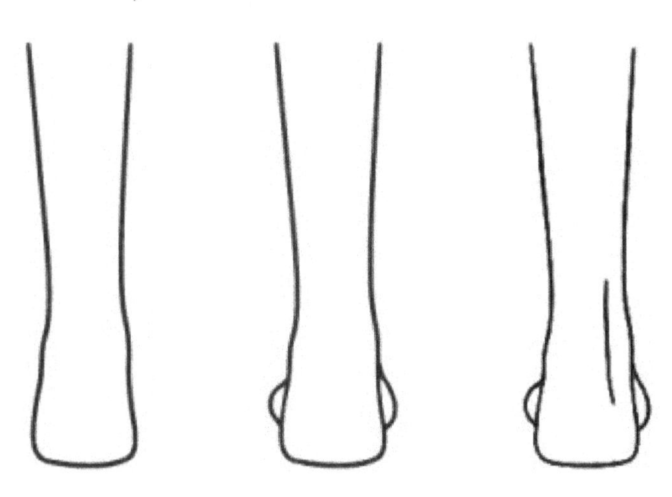

Capítulo 22: Como desenhar os sapatos de uma personagem de manga

Nesta parte do guia, vamos concentrar-nos em como desenhar diferentes tipos de sapatos para manga com três vistas diferentes para cada tipo de sapato. Os exemplos incluem ténis, sapatos de salto alto, mocassins, botas, chinelos e flip-flops.

Conhecer a estrutura básica de um pé humano é o primeiro passo para desenhar sapatos realistas em qualquer estilo. Para criar um desenho realista de sapatos não é necessário um esboço pormenorizado de cada dedo do pé ou mesmo de todo o pé. Isto é especialmente útil se for um artista principiante que precisa de praticar.

Os exemplos deste guia representam algumas das variedades de sapatos mais utilizadas para representar personagens de manga. Além disso, pode ver alguns dos pontos de vista e ângulos mais frequentemente utilizados para desenhar sapatos de personagens de manga.

Quanto aos exemplos, os sapatos são apresentados em vista frontal, 3/4 e lateral.

Exemplo de como desenhar ténis a partir de todas as vistas

O primeiro exemplo são os ténis. São bastante simples de desenhar, mas muitas vezes têm mais pormenores do que outros tipos de calçado devido aos seus desenhos mais complexos. O primeiro passo fundamental é posicionar os pés corretamente. No caso das sapatilhas, os pés devem estar mais ou menos na sua posição natural, ou seja, planos no chão. Desta forma, poderá compreender melhor o tamanho do calçado e a forma como este deve assentar no pé.

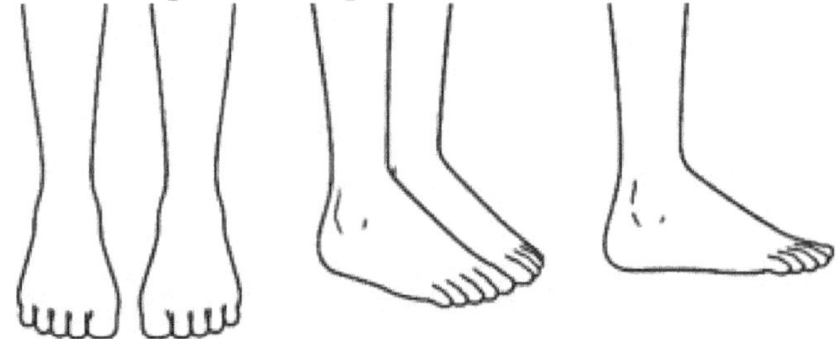

Considere que não precisa de desenhar os pés completamente com todos os dedos de cada vez que quiser desenhar os sapatos. Também pode esboçar rapidamente a sua forma e contorno, como no exemplo abaixo.

Se estiver a desenhar no papel, certifique-se de que utiliza linhas bastante claras que pode apagar rapidamente depois de desenhar o sapato.

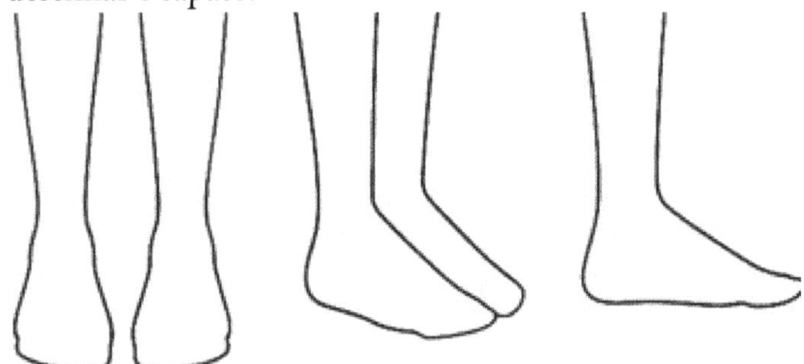

Passa agora a desenhar o contorno dos sapatos.

Comece a desenhar à volta e por cima da forma dos pés, nos contornos dos sapatos e nos pormenores maiores e mais importantes.

As sapatilhas têm frequentemente um amortecimento suave e tendem a ser um pouco mais grossas do que outros tipos de calçado. Por este motivo, deve desenhar a forma do seu contorno a uma certa distância do pé.

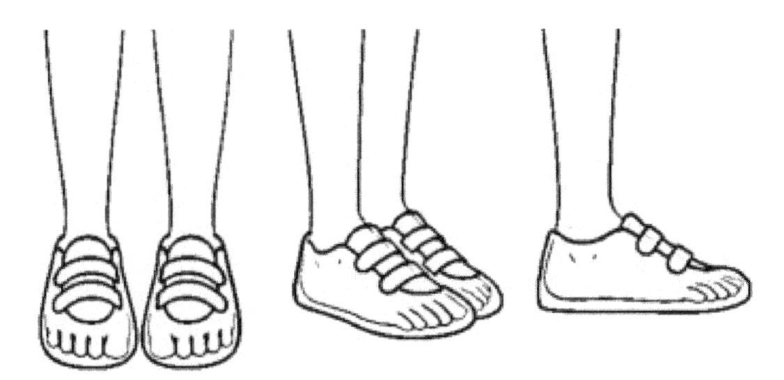

Apaga a parte do pé coberta pelos sapatos para obteres um desenho limpo como o do exemplo abaixo.

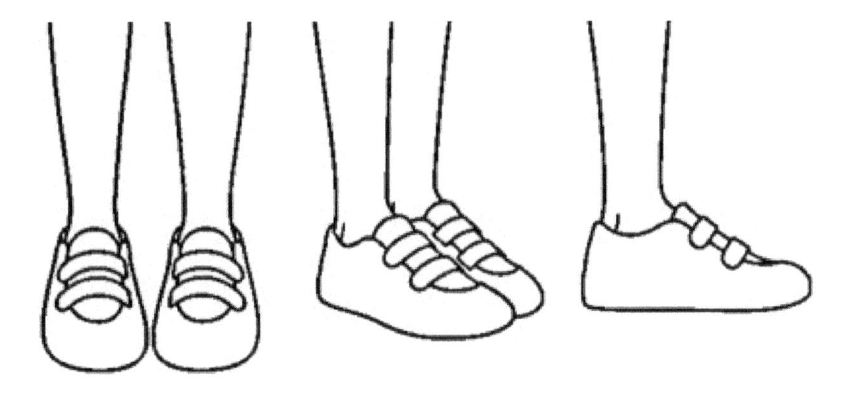

Agora, desenhe o resto dos pormenores do sapato.

Adicione os pormenores mais pequenos e todos os elementos de design do sapato ao desenho para poder dar a forma final. Aqui, os pormenores ajudarão a tornar o sapato mais interessante e detalhado e a definir melhor a sua forma.

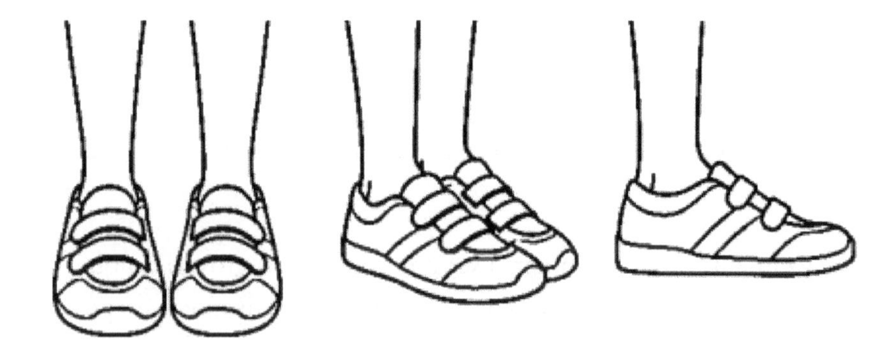

Exemplo de como desenhar sapatos com saltos

Os sapatos de salto alto são outro exemplo comum de calçado utilizado para desenhar personagens de manga. Tendem a ter muito poucos pormenores, mas podem apresentar algumas dificuldades ao desenhar.

Comece, como sempre, por desenhar os pés na posição correcta. Tal como no exemplo anterior, comece por desenhar um contorno claro e preciso dos pés.

Essencialmente, duas coisas colocam dificuldades na determinação da posição do pé para sapatos de salto alto. Uma dificuldade é o facto de os pés serem os dedos dos pés; outra é o facto de os dedos dos pés serem muitas vezes apertados uns contra os outros pela ponta estreita dos sapatos.

Mostrar que os pés estão no dedo do pé, por outro lado, não é particularmente difícil em vistas laterais ou 3/4. No entanto, pode ser um pouco mais confuso na vista frontal.

Para mostrar que os pés estão nos dedos, pode fazer com que a parte do pé entre os dedos e os tornozelos seja mais comprida do que quando os pés estão apoiados no chão.

A vista frontal é também onde os dedos dos pés estarão mais esmagados e juntos. O dedo grande do pé apontará para dentro em direção ao que, na prática, deveria ser a ponta dos sapatos. O mesmo se passa com os dedos da extremidade oposta do pé. Por outro lado, os dedos do meio do pé manter-se-ão inalterados.

Mais uma vez, lembre-se que não é necessário desenhar os dedos dos pés antes de desenhar o sapato, mas é uma boa ideia perceber como os pés estão posicionados antes de desenhar os sapatos.

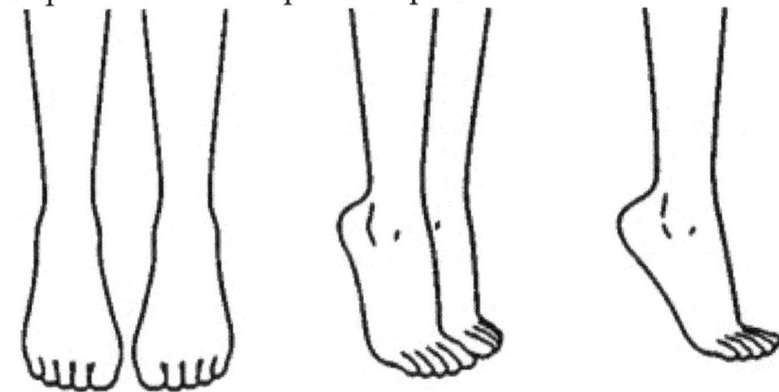

Agora, desenhe o contorno dos sapatos. Os sapatos de salto alto tendem a ser bastante finos, por isso, à exceção da sola, que tem algum volume, podem ser desenhados quase diretamente sobre o pé. Por isso, basicamente, basta desenhar os sapatos sobre o contorno dos pés.

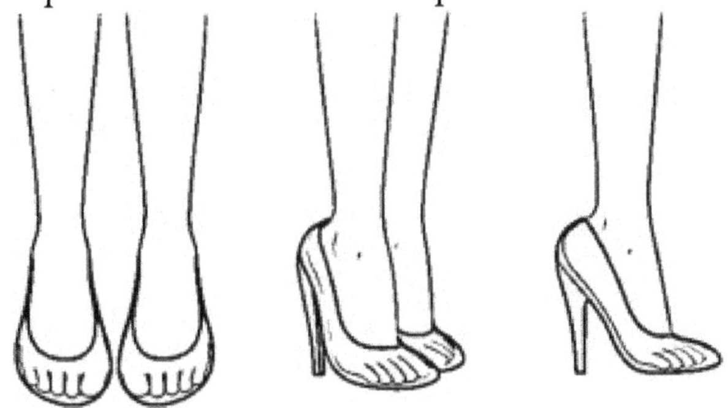

Desenhar os pormenores dos sapatos. Limpa o desenho apagando as partes do pé cobertas pelos sapatos e passando por cima com linhas mais escuras onde for necessário. Como não há muitos detalhes neste desenho de sapato, há menos passos para os desenhar do que no exemplo da sapatilha.

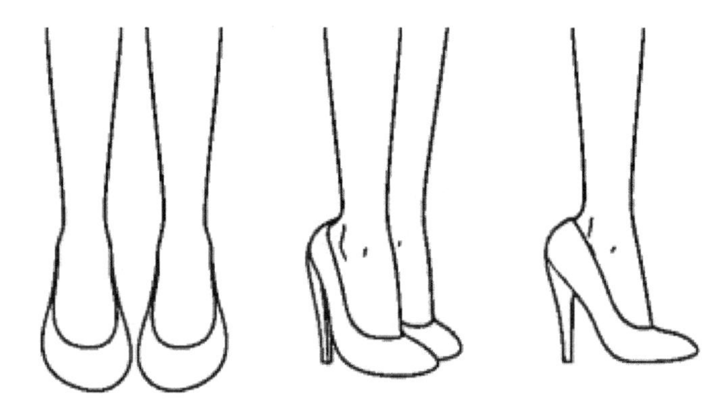

Exemplo de como desenhar mocassins

Os mocassins são, quase de certeza, o tipo de calçado mais popular visto nos pés das personagens de manga que representam a vida escolar. Este tipo de calçado existe numa variedade de estilos.

Como primeiro passo, é necessário posicionar corretamente os pés. Os sapatos de senhora, como os deste exemplo, têm muitas vezes um calcanhar ligeiramente levantado. Isto significa que os pés terão de ser desenhados de forma a parecerem ligeiramente inclinados.

No exemplo abaixo, pode ver a posição do pé dentro deste tipo de sapato. Tal como no exemplo do salto alto, a área entre os dedos dos pés e os tornozelos é ligeiramente mais comprida quando desenha o pé na vista frontal. Isto ajuda-o a mostrar que o calcanhar está ligeiramente levantado. Para as vistas lateral e 3/4, pode desenhar o calcanhar ligeiramente mais alto do que o normal.

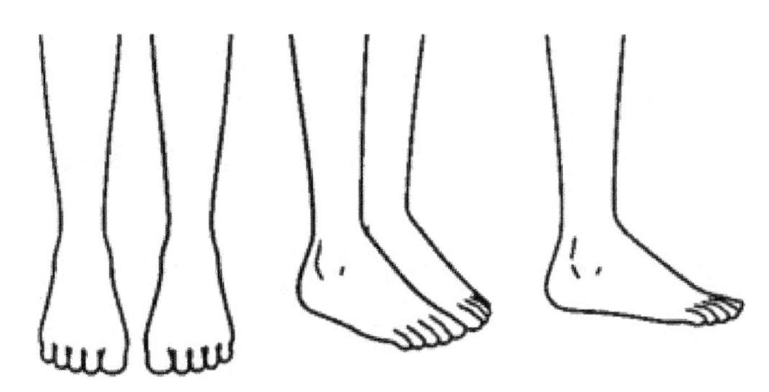

Desenhe o contorno dos sapatos.

Desenhe o contorno e os elementos principais dos sapatos à volta e por cima do pé. Pode desenhá-los bastante perto do contorno do pé, porque normalmente são feitos de couro bastante fino. Depois de desenhar a forma básica do sapato, apague as partes do pé cobertas por ele.

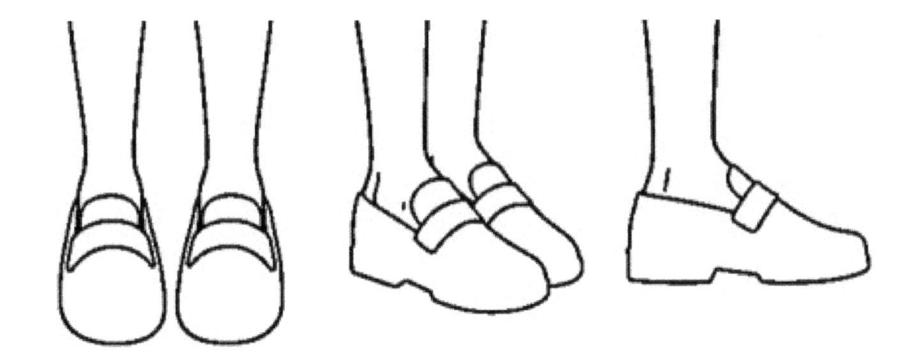

Passa a desenhar os pormenores dos sapatos. Desenhe os pormenores, como a divisão entre a sola e o resto do sapato e as linhas que indicam onde as diferentes partes do sapato são cosidas.

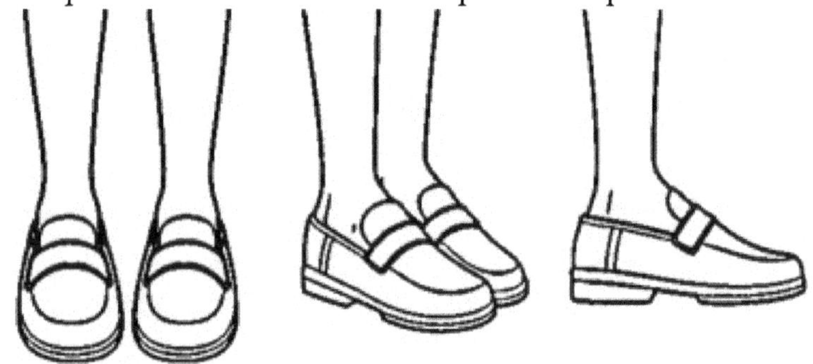

Exemplo de como desenhar botas

As botas são outro exemplo de calçado comummente visto nos pés de personagens de estilo manga. Ao contrário dos sapatos de salto alto ou dos mocassins, tendem a ser muito mais variados. No entanto, neste exemplo, vou falar de botas bastante simples e de aspeto genérico.

Como em todos os outros exemplos, a primeira coisa a fazer é posicionar corretamente os pés. Uma vez que estas botas não têm um salto alto, o pé dentro delas ficará plano no chão.

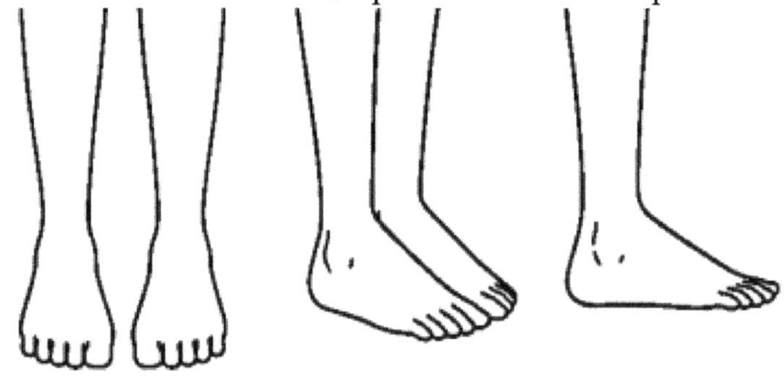

Agora, desenhe o contorno das botas.

Depois de desenhar o contorno dos pés, desenhe a forma exterior das botas à volta deles.

Neste caso, a parte do sapato à volta da perna será bastante próxima da própria perna, uma vez que o couro não é um material muito espesso. No entanto, as botas deste tipo, que não têm fechos ou atacadores, são normalmente mais largas na zona da perna para ajudar a pessoa a calçar o pé. Para realçar este aspeto, pode afastar essa parte do design das botas da perna.

Depois, apague o contorno da perna quando tiver delineado as botas.

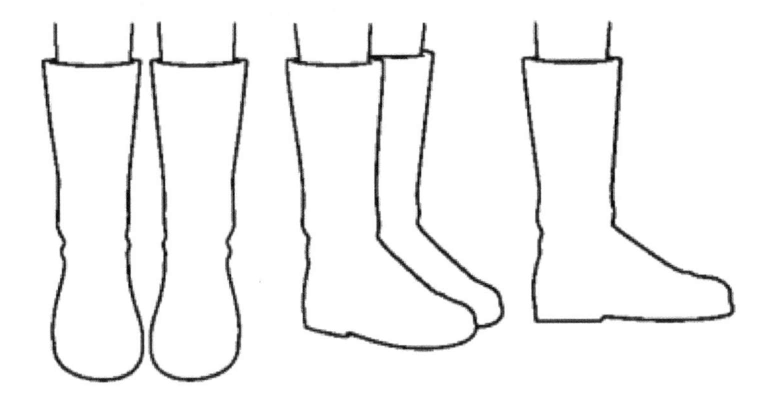

Desenhe os pormenores das botas.

Acrescente alguns pormenores básicos, como a sola e algumas dobras no couro das botas.

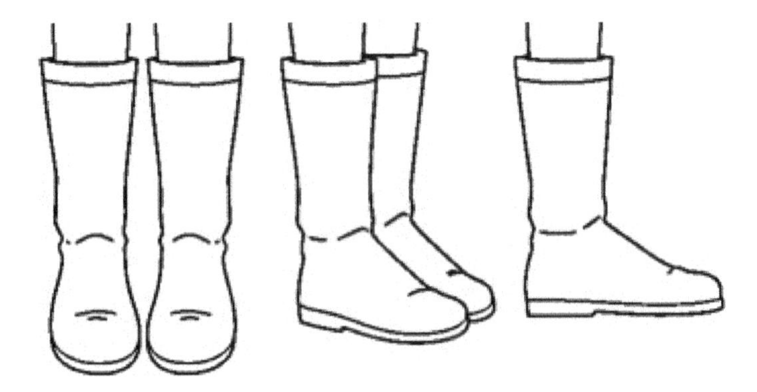

Exemplo de como desenhar chinelos

Os chinelos são outro exemplo de calçado muito comum na manga. As personagens femininas que são retratadas em ambientes domésticos tendem frequentemente a usá-los.

Comece por desenhar os pés. O pé que está dentro das pantufas deve estar na sua posição natural, plano e ao longo da linha do chão.

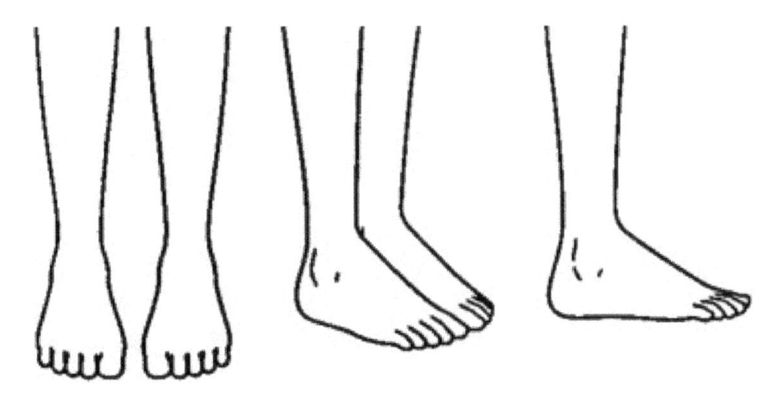

Desenhe o contorno das pantufas. Este tipo de pantufas tem uma sola bastante fina com a parte da frente um pouco insuflada. Desenhar o contorno da parte da frente da pantufa a uma boa distância do pé, nomeadamente na vista lateral e em ¾.

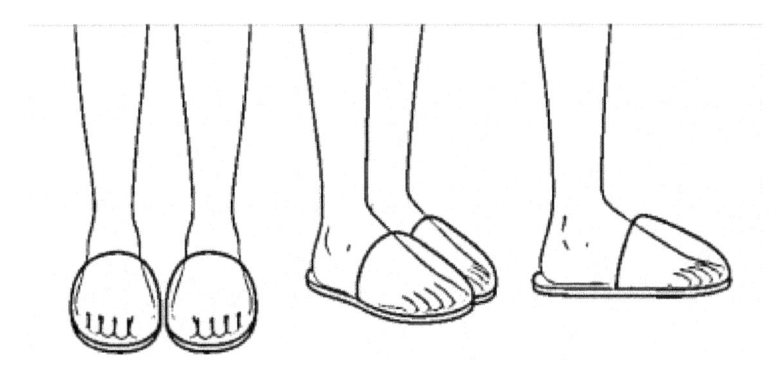

Agora apaga as partes desnecessárias do desenho, como os dedos dos pés, e o teu trabalho está terminado.

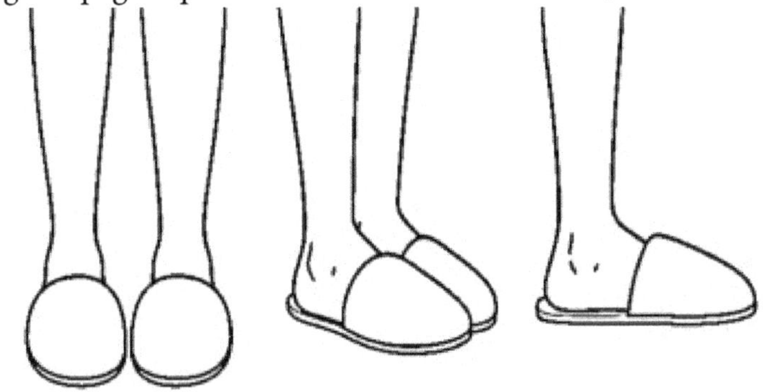

Exemplo de como desenhar flip-flops

Os chinelos de dedo são bastante comuns nas personagens de manga, e é frequente encontrá-los nos pés de pessoas que vão à praia ou simplesmente passeiam na rua durante o verão.

Em primeiro lugar, desenhar os pés. Como este tipo de sapato mostra todo o pé, deve desenhá-lo com a maior exatidão possível. Mais uma vez, neste caso, os pés serão planos ao longo da linha do chão.

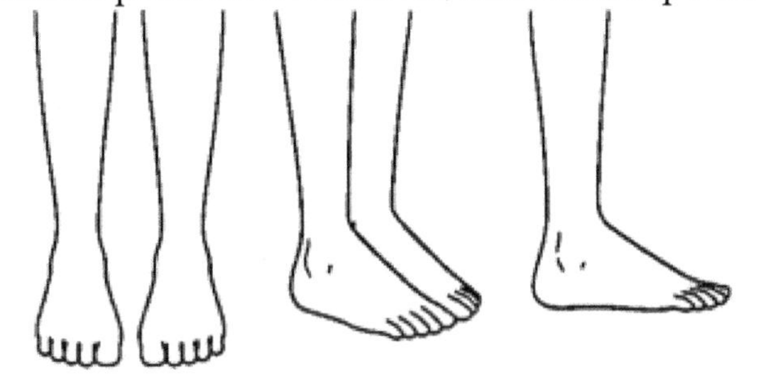

Desenhar os chinelos de dedo. Geralmente, este tipo de calçado é constituído por uma sola e por umas bandas que passam entre os dedos dos pés e o resto dos dedos. Desenhe as tiras sobrepondo-se à forma do pé.

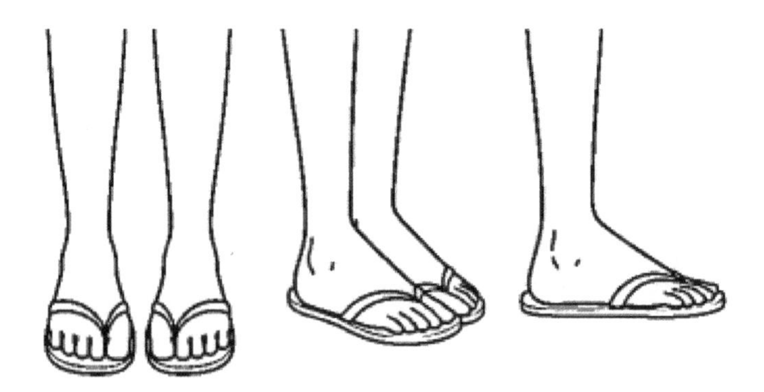

Apague as partes dos pés cobertas pelos chinelos e passe por cima do seu desenho com linhas mais escuras para terminar.

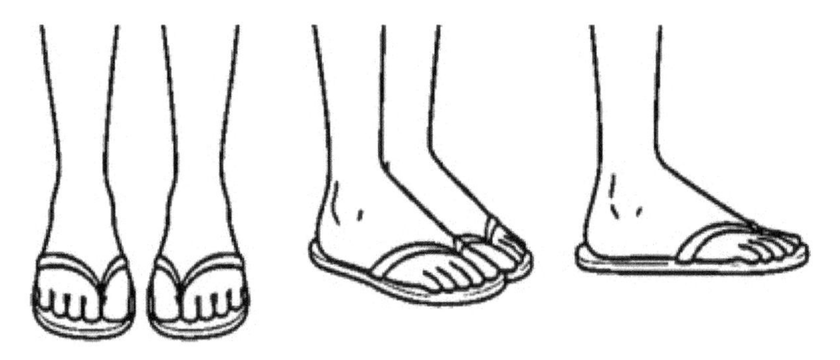

Capítulo 23: Como desenhar meias, meias-calças e collants

Esta parte do guia explicará como desenhar meias, meias-calças e collants no estilo mangá. Meias, meias e collants são itens muito comuns na manga, especialmente porque muitos destes personagens frequentam ambientes escolares, como o liceu, onde são frequentemente usados com uniformes escolares.

Uma vez vestidas, estas peças de vestuário têm geralmente a mesma forma que as pernas, o que significa que desenhar estes elementos será muito semelhante a desenhar as pernas, mas com alguns passos adicionais.

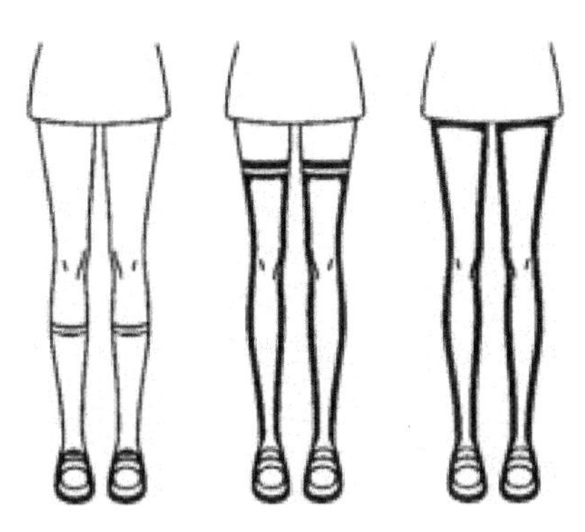

Em geral, pode desenhar as meias nas pernas com apenas um par de curvas colocadas ligeiramente abaixo dos joelhos. Também pode acrescentar uma segunda curva abaixo da primeira, com uma linha ligeiramente mais clara, para mostrar os punhos.

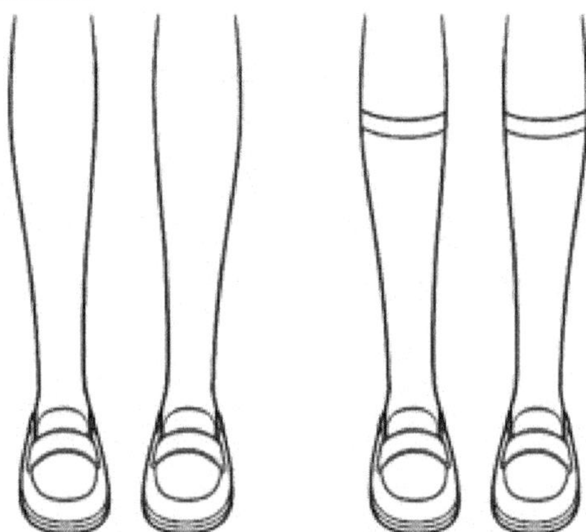

A razão pela qual se pretende desenhar as curvas é obviamente para seguir a curva natural das pernas.

Por exemplo, se alguém estivesse à sua frente com meias e tivesse de colocar os olhos diretamente ao nível do punho, estas curvas pareceriam planas, como mostra o primeiro exemplo abaixo.

Se estivéssemos a olhar para as pernas de alguém, em cima de algo acima de nós, as curvas estariam na direção oposta, como ilustrado na segunda imagem.

Além disso, as meias deste exemplo são brancas, típicas de muitas personagens de manga, mas pode pintá-las da cor que quiser.

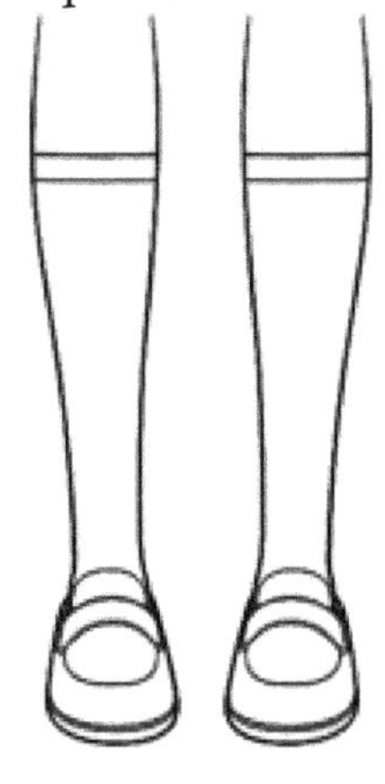

Exemplo de como desenhar meias em estilo manga

As meias são bastante comuns na manga, talvez muito mais do que na vida real; no entanto, o processo de as desenhar é bastante semelhante ao das meias.

Mais uma vez, pode indicar até que ponto as meias sobem desenhando um par de curvas, mas as regras do nível dos olhos do observador, explicadas no exemplo das meias, continuam a aplicar-se.

Como as meias são muito mais altas do que as pernas, estas estarão mais próximas do nível dos olhos do observador, o que significa que as suas curvas podem ser desenhadas um pouco mais planas do que no primeiro exemplo das meias.

As meias das personagens de manga tendem frequentemente a ter algum tipo de desenho no topo, mesmo que seja algo tão simples como uma risca. É claro que pode ser criativo e experimentar desenhos mais sofisticados.

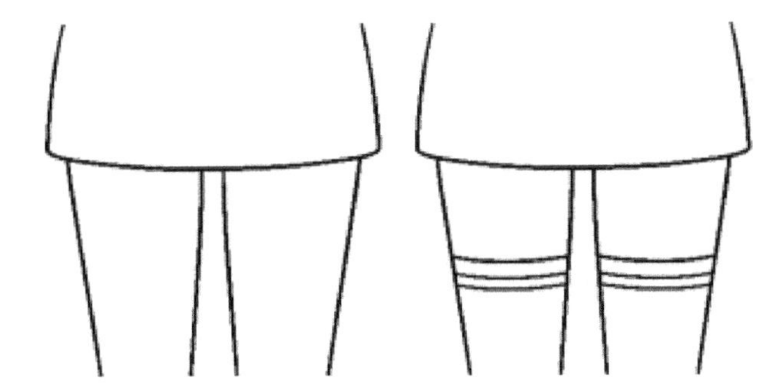

Exemplo de como desenhar collants

Este último exemplo é o mais simples dos três. Como os collants praticamente abraçam as pernas e vão até à cintura, não é necessário desenhar linhas para os mostrar. Em vez disso, pode mostrar que estão a ser usados simplesmente pintando as pernas com a cor que quiser.

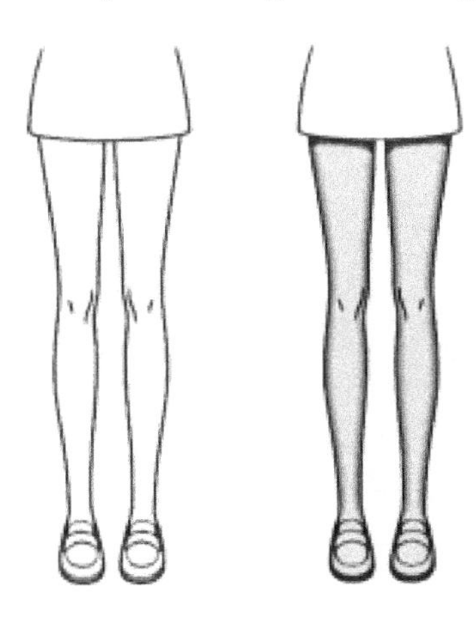

Capítulo 24: Como desenhar uma personagem feminina completa de manga

Este capítulo contém todas as instruções para desenhar o corpo e o rosto de uma rapariga no estilo manga. Os passos para desenhar uma rapariga manga tanto de frente como de lado são fornecidos abaixo.

Comece por esboçar o contorno geral do corpo da rapariga em ambas as perspectivas.

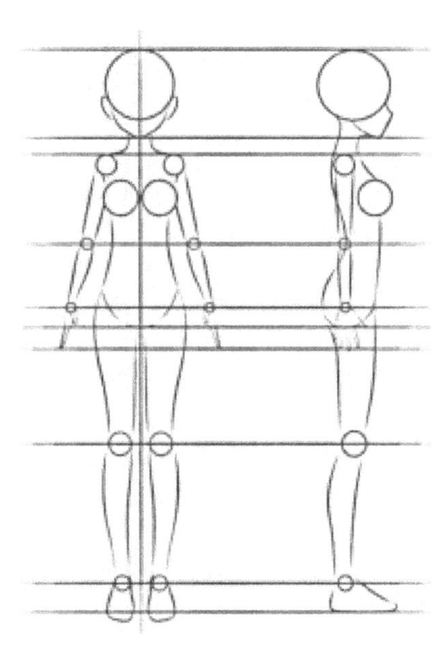

Um dos aspectos mais importantes a ter em conta quando se desenha a figura completa é a proporção ou a relação de uma parte do corpo com a outra. Todos os elementos devem ter o tamanho correto, caso contrário, a personagem terá um aspeto estranho.

Quanto à vista frontal, deve começar o desenho com uma linha vertical, que o ajudará a tornar ambos os lados da figura mais uniformes. Se estiver a desenhar simultaneamente a vista frontal e a vista lateral, pode acrescentar linhas horizontais para garantir que as diferentes partes do corpo coincidem em ambas as vistas.

Desenhar as duas vistas ao mesmo tempo pode ser um exercício muito útil. Se for bom a desenhar uma determinada parte do corpo numa vista, mas não tanto noutra, este exercício pode ajudá-lo a melhorar o seu estilo.

Começa sempre o desenho pela cabeça. Não é necessário acrescentar todos os pormenores da cabeça; só precisa das linhas gerais que lhe dão forma. Na vista frontal, podes desenhar um círculo para te ajudar a obter a forma do topo da cabeça. Na vista lateral, deve desenhar uma forma ligeiramente oval.

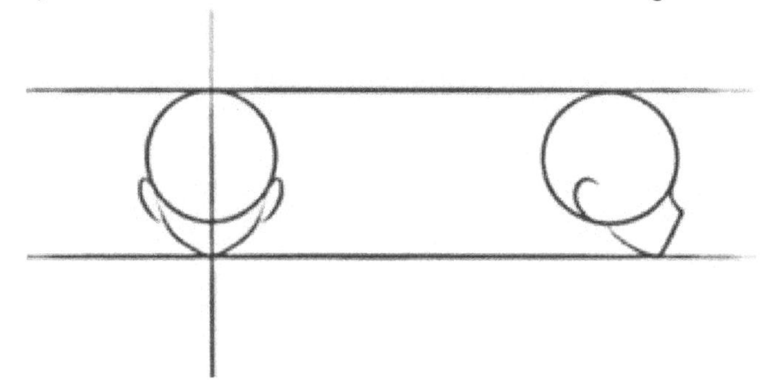

Passemos agora ao desenho do corpo.

Lembre-se de que está a desenhar uma manga, pelo que as proporções devem ser muito diferentes das dos desenhos tradicionais. Por este motivo, deve desenhar a cabeça ligeiramente maior e desproporcionada em relação ao tamanho tradicional do corpo.

O corpo do modelo deve ser como uma ampulheta na vista frontal. Além disso, recomendo que desenhe pequenos círculos ao nível dos ombros para o ajudar a desenhar mais tarde as linhas finais.

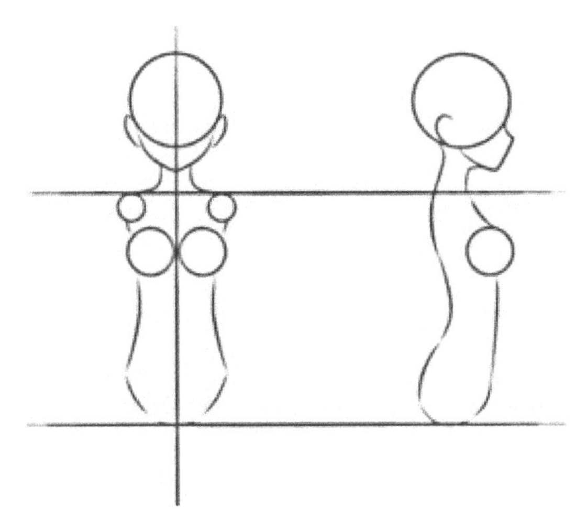

Desenhar os braços.

Desenhe dois círculos mais pequenos, que serão necessários para indicar a posição correcta das articulações, seguindo as orientações de desenho de ambos os lados no que se refere à vista frontal e apenas de um lado no que se refere à vista lateral.

Em seguida, desenhar as linhas, descendo dos ombros para baixo.

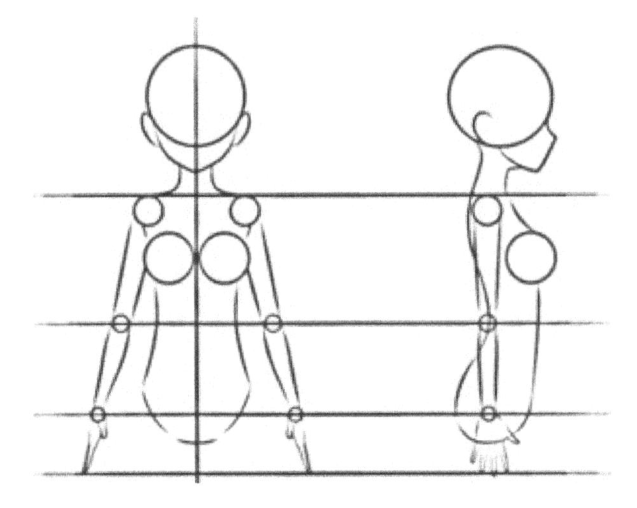

Comece agora a desenhar as pernas.

O comprimento das pernas de uma personagem de manga deve ser cerca de metade do comprimento de todo o corpo.

Na vista lateral, os pés devem ser tão longos quanto a distância entre os pulsos e o cotovelo.

Além disso, como se pode ver no desenho, na vista frontal, os pés ultrapassam ligeiramente a linha de alinhamento vertical inferior; isto porque, se rodarmos a personagem, os pés devem estar mais próximos do observador na vista frontal do que na vista lateral.

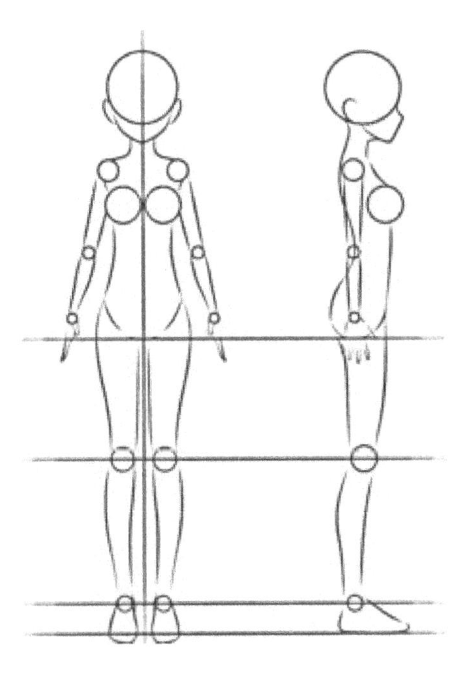

Limpar o desenho.

Depois de desenhar a forma básica do corpo, pode apagar todos os círculos que desenhou no interior.

Também é possível acrescentar alguns pormenores mais pequenos, como linhas laterais finas para os joelhos na vista frontal.

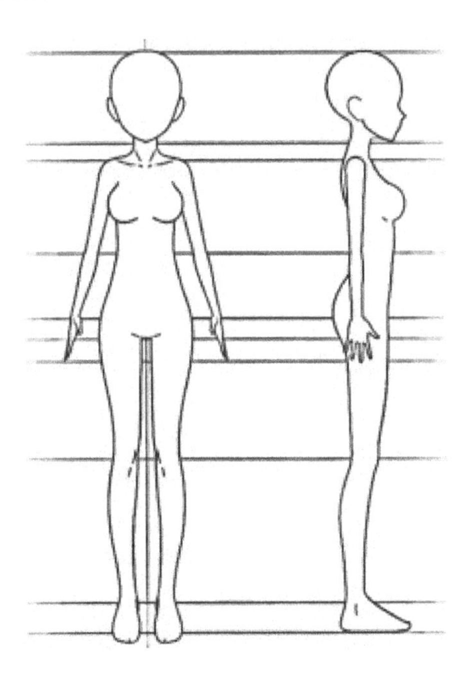

Desenhe os pormenores agora.

Acrescenta detalhes ao rosto, como os olhos, o nariz, a boca e o cabelo. Para ver os detalhes do desenho, consulte as secções em que falo dos detalhes do rosto e da cabeça.

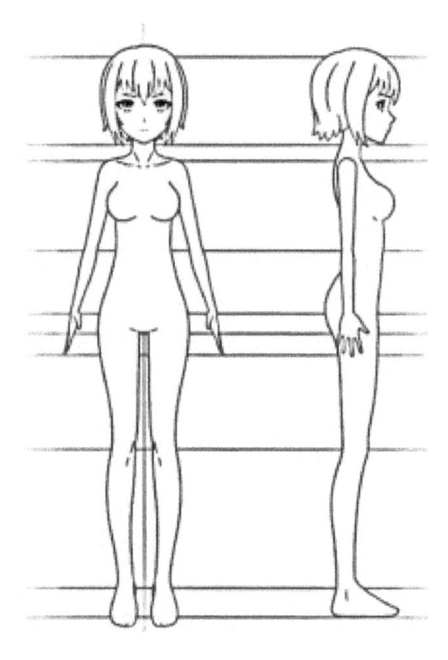

Desenhar a roupa.

Se está a começar, é mais seguro optar pelos artigos básicos, como uma T-shirt, calções e meias. Uma vez que este tipo de vestuário é bastante fino e apertado, como resultado, seguirá o contorno geral e a forma do corpo.

Comece por desenhar algumas linhas que representem cada peça de roupa. Não desenhe linhas rectas, mas sim linhas suaves e curvas, de modo a abrangerem todas as formas do corpo.

Depois, na parte de cima das meias, não deve desenhar linhas rectas, mas sim uma curva para que pareça que o tecido das meias envolve a perna.

Pode acrescentar pequenos vincos se pretender um efeito mais natural e realista.

Por fim, adicione as cores que preferir e faça o sombreado básico, lembrando-se de que as áreas menos expostas à luz devem ser sempre mais escuras do que as iluminadas.

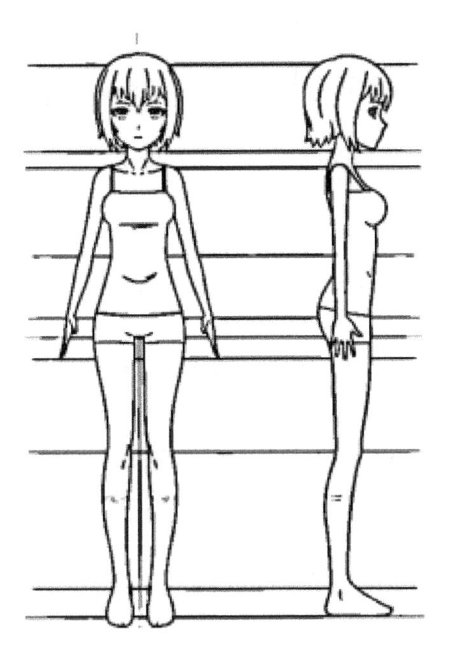

Capítulo 25: Como desenhar um personagem masculino de manga

Neste capítulo, aprenderá, passo a passo, a desenhar um rapaz manga com explicações pormenorizadas sobre as proporções do corpo e dicas gerais para conseguir um visual manga.

A idade da personagem situa-se entre os 10 e os 15 anos.

Para sua informação, as proporções que se seguem são apenas sugestões e podem ser alteradas em função da personagem e do estilo que pretende alcançar.

Comece por dividir a forma geral da sua personagem em várias partes do corpo. Para fazer com que uma personagem pareça mais jovem, desenhe-a mais magra do que a sua contraparte mais velha.

Uma boa maneira de escolher como dividir a sua personagem e analisar as partes do corpo é tirar medidas da cabeça.

Como referi anteriormente, as personagens de manga tendem a ter cabeças maiores do que os seus corpos e também do que as pessoas reais. Este aspeto é mais acentuado nas personagens mais jovens.

Para o exemplo que utilizamos abaixo, a altura total da personagem será a da cabeça multiplicada por 6,5 cm.

A cabeça e toda a zona acima das pernas têm metade da altura do corpo inteiro.

A parte da mão ligada ao braço desce aproximadamente até ao meio do corpo, na horizontal. A articulação onde a mão encontra o cotovelo e a articulação onde o cotovelo encontra o ombro têm o mesmo comprimento.

Por outro lado, as pernas devem ter cerca de metade do comprimento do corpo inteiro.

Da parte inferior do pé até abaixo do joelho, o comprimento das pernas é aproximadamente o mesmo que o comprimento de abaixo do joelho até ao meio do corpo. Além disso, na vista lateral, a perna colocada à frente é maior, devido à perspetiva, do que a perna de trás.

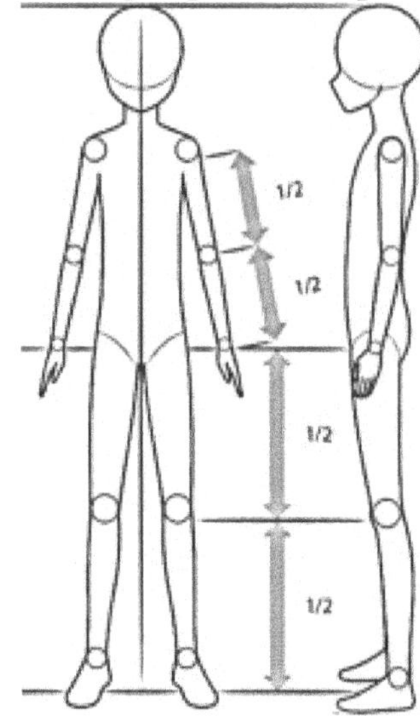

Desenhe o corpo da sua personagem.

Comece a desenhar a personagem a partir da cabeça e depois continue para baixo. Comece com um leve desenho de linhas de toda a forma do corpo, sem adicionar ainda os detalhes mais pequenos.

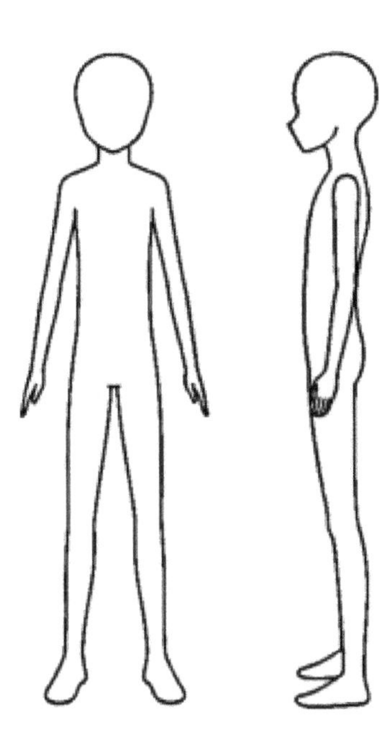

Quanto à vista frontal, o principal desafio de desenhar o corpo a partir desta vista e obter as proporções correctas é obter ambos os lados simetricamente.

Para o ajudar nesta tarefa, pode desenhar uma linha vertical através do que mais tarde será o centro do corpo; isto ajudá-lo-á a garantir que ambas as metades do corpo são simétricas em largura.

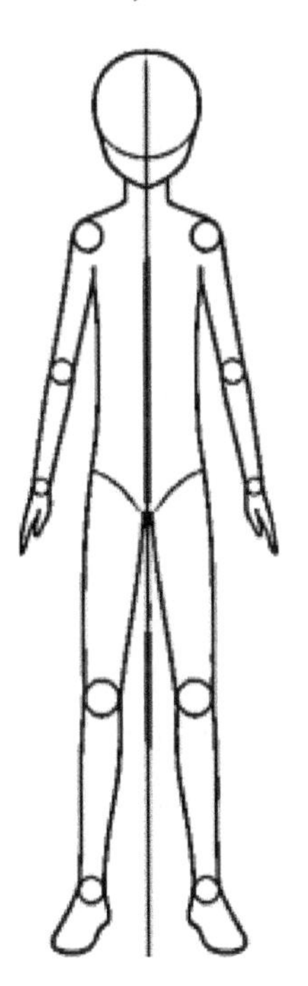

Quanto à vista lateral, pode ser mais difícil de desenhar do que a vista frontal porque, na vista lateral, as várias partes do corpo curvam-se em direcções ligeiramente diferentes.

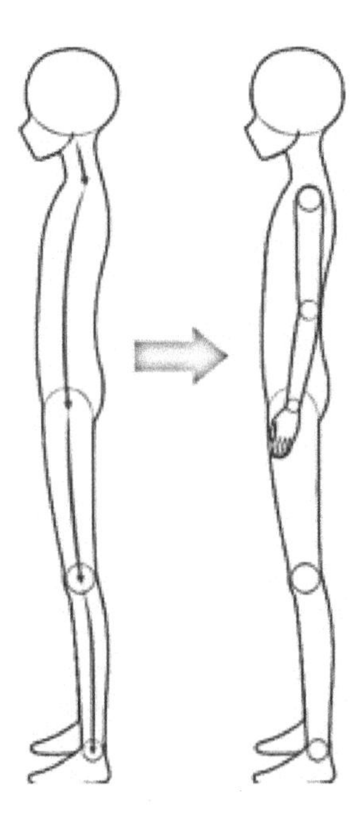

Desenhe a cabeça e o rosto da sua personagem.

Desenhe as características faciais e os pormenores antes de desenhar o cabelo, incluindo as partes que serão cobertas pelo cabelo mais tarde.

Por fim, desenhe o cabelo.

Para este penteado, desenhe a parte do cabelo de modo a seguir a forma do cimo da cabeça, mas um pouco afastado dela, porque o cabelo tem muito volume. Desenhe as pontas dos cabelos que se ramificam em vários tufos e de vários tamanhos, curvando-se em direcções ligeiramente diferentes.

Agora desenha a roupa.

Neste caso, vai desenhar a sua personagem com uma T-shirt, calções e sapatos.

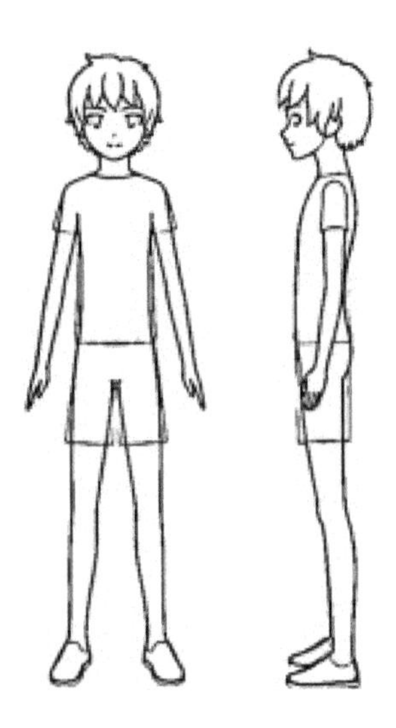

Comece por desenhar a T-shirt. Para a parte de cima da T-shirt, desenhe-a praticamente ao nível da forma dos ombros. As mangas da T-shirt são ligeiramente mais largas nas extremidades. Como a T-shirt não é muito justa, deixe algum espaço entre o corpo e a T-shirt, uma vez que esta ficará pendurada na zona mais larga do peito.

Desenhe a camisa um pouco mais larga em direção à parte inferior, uma vez que essa área terá vincos.

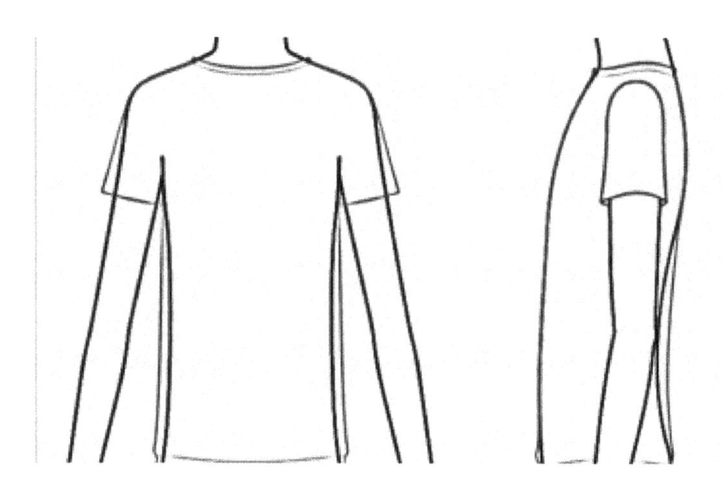

Juntar os calções.

Desenhe os calções começando na parte inferior da camisa e alargando-os ligeiramente à medida que descem.

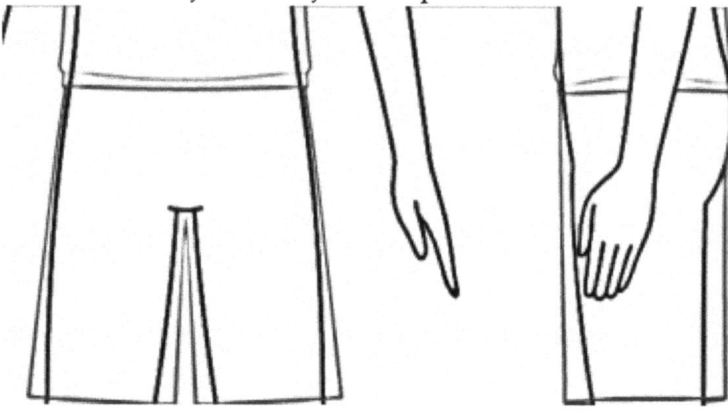

Desenhar os sapatos.

Pode desenhar a forma dos sapatos desenhando aproximadamente a forma dos pés, mas deixando algum espaço para compensar a espessura do material utilizado para fazer os sapatos.

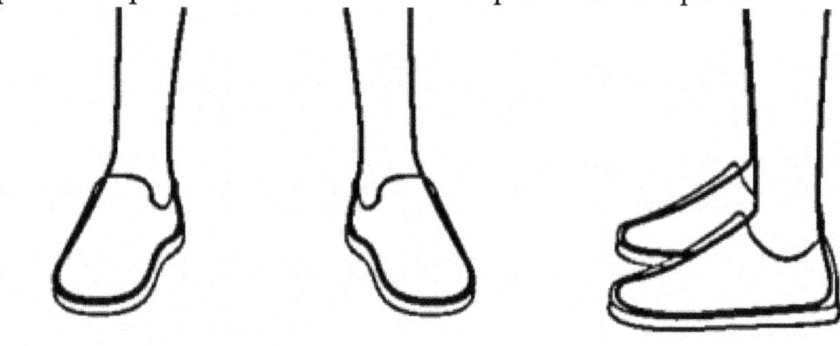

Agora, adicione os vários pormenores.

Desenhe os pormenores interiores dos olhos, como as pupilas e os reflexos. Também pode desenhar um pouco as pálpebras por cima dos olhos.

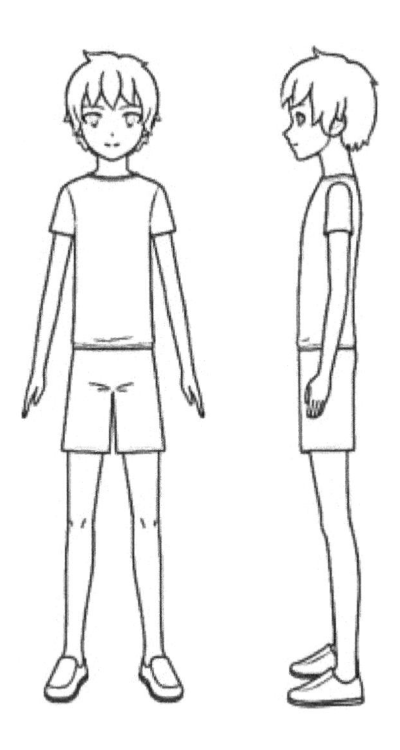

Adicione os detalhes da T-shirt.

Pode acrescentar algumas riscas na parte inferior da T-shirt para realçar os vincos.

Também pode desenhar linhas mais finas nas extremidades das mangas.

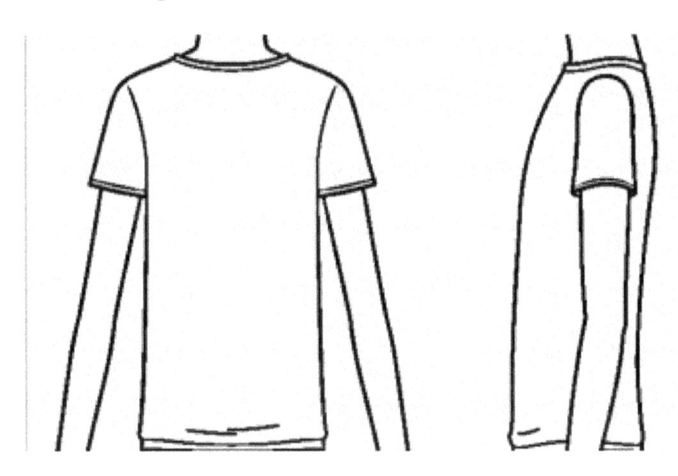

Desenhe detalhes e vincos nos calções.

Para os calções, pode adicionar os vincos no centro, onde normalmente existe tensão criada pelas pernas que puxam os calções em diferentes direcções.

Também pode adicionar algumas linhas na parte inferior para acrescentar mais pormenores.

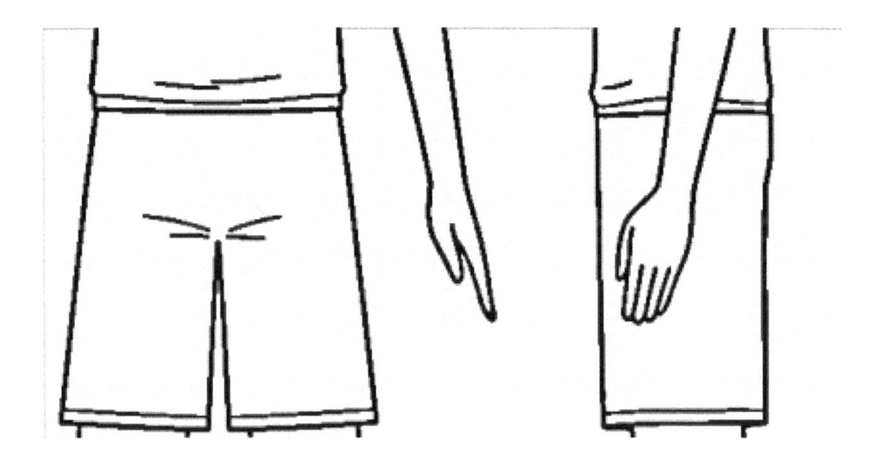

Por fim, desenhe os pormenores dos sapatos. No caso dos sapatos, pode simplesmente desenhar os pormenores exteriores do seu design.

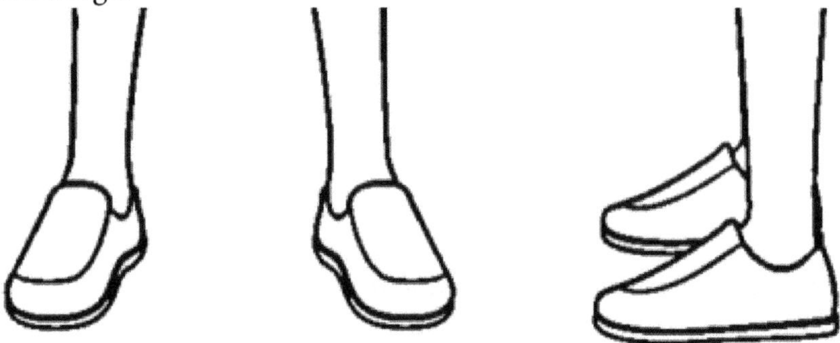

Nesta altura, só falta o sombreado. O sombreado deve ser colocado no cabelo, à volta das pálpebras, na parte superior dos olhos e nos lados do nariz.

O seu desenho está terminado. Pode deixá-lo como está ou pintá-lo de acordo com o seu gosto.

Capítulo 26: Como desenhar poses de manga passo a passo

Esta parte do guia explicará os princípios básicos para desenhar diferentes poses de personagens de manga. Desenhar uma personagem de manga numa determinada pose pode ser bastante difícil. Para facilitar as coisas, especialmente se for um principiante, estes exemplos práticos mostrar-lhe-ão poses bastante fáceis de desenhar. Também lhe será mostrado como utilizar personagens como se fossem manequins para obter a pose sem qualquer detalhe.

A "abordagem do boneco" permite-lhe desenhar rapidamente várias poses, tornando mais fácil encontrar a correcta para a personagem que pretende desenhar. Também pode ajudá-lo a corrigir os seus erros sem ter de apagar demasiado.

Por exemplo, se desenhar completamente os detalhes da cabeça e depois passar para o corpo, pode descobrir que não calculou o ângulo correto. Isto significa, então, ter de apagar todos os traços do rosto quando poderia ter evitado o erro muito mais cedo se tivesse desenhado um esboço básico de todo o corpo.

Primeiro, posicione corretamente a sua personagem.

Mesmo que seja um artista bem estabelecido, uma posição mal desenhada pode prejudicar muito o seu desenho e a mensagem que está a tentar transmitir ao observador.

Digamos que decide desenhar uma personagem que dá um murro.

No primeiro desenho, no exemplo acima, parece que uma personagem está simplesmente a esticar o braço, enquanto o segundo parece que está a dar um murro.

É, por isso, muito importante transmitir corretamente a ação ou a posição que se pretende mostrar. Sem isso, um desenho pode parecer incorreto e vago, mesmo que esteja bem feito.

Nos estilos de manga mais genéricos e comuns, os corpos tendem a ser desenhados de forma semelhante aos das pessoas reais. Como viste quando expliquei a parte do rosto, a única diferença é que as cabeças das personagens são maiores do que o normal.

Para desenhar as diferentes poses, é necessário ter em conta os seguintes factores:

- A cabeça tem forma de ovo e é ligeiramente mais redonda do que o normal.
- As mãos devem ser desenhadas com os dedos unidos numa única forma, como se a personagem estivesse a usar luvas.
- Os pés devem ser desenhados de forma tão compacta como quando se usam meias.

Embora seja bastante comum começar a desenhar uma pessoa pela cabeça, os exemplos dados neste capítulo começarão pelo tronco. Porque em poses mais dinâmicas, em que tem de se dobrar ou torcer, desenhar o tronco primeiro pode facilitar muito a colocação do resto das partes do corpo mais tarde.

Também deve desenhar linhas claras que sejam fáceis de apagar, especialmente se estiver a desenhar em papel. Se cometer um erro, será mais fácil corrigi-lo e também será mais simples apagar partes da personagem à medida que vai acrescentando mais pormenores.

Exemplo de como desenhar uma personagem de manga em movimento.

Existem diferentes tipos de poses para personagens de corrida. Muito pode depender do tipo de personagem ou do tipo de evento que deseja retratar. A pose que vamos analisar é a típica pose de corrida desportiva. Comece por desenhar o torso, que é o tronco de uma figura. Nesta pose em particular, o tronco será desenhado num ângulo de cerca de ¾. Como estamos a desenhar uma personagem feminina, desenhe-a em forma de ampulheta.

Para mostrar que a personagem está a correr, posicione o tronco ligeiramente inclinado para a frente. O ombro mais próximo do olho do observador estará ligeiramente mais alto nesta pose. Pode também desenhar um pouco os ombros e as clavículas para definir a parte superior.

Desenhe a cabeça da sua personagem.

Desenhar a cabeça ligeiramente inclinada para a frente, mais ou menos no mesmo ângulo que o tronco.

Adicione pernas à sua personagem.

Desenhe uma perna dobrada numa espécie de seta virada para a frente, de modo a realçar o movimento, e a outra direita, mais ou menos no mesmo ângulo do corpo. O pé do lado da perna dobrada pode ser desenhado numa posição natural e relaxada. O pé da perna estendida sairá do chão e deve ser posicionado como se estivesse na ponta dos dedos.

Juntar os braços.

Desenhe os braços a balançar na direção oposta à das pernas correspondentes. Por exemplo, se a perna direita for para a frente, o braço esquerdo deve balançar para trás e vice-versa. Cada braço deve estar dobrado e as mãos fechadas em punho. Como já foi referido, pode simplesmente desenhar as mãos como se tivessem luvas, sem ter de desenhar os dedos individualmente.

Desenhar o pescoço.

Desenhar o pescoço num ângulo semelhante ao da cabeça e do corpo, e torná-lo tão grosso como os braços.

Desenhe os pormenores do peito.

Uma vez que se trata de uma personagem feminina, pode adicionar alguns detalhes básicos ao esboço dos seios para completar a pose. Lembre-se de que as personagens usam geralmente roupas que achatam a zona do peito.

Exemplo de pose de ballet

Esta pose é a pose caraterística dos bailarinos, pois mostra flexibilidade com a divisão das pernas e algum movimento artístico com a cabeça puxada para trás.

Comece por desenhar o tronco.

Desenhar o tronco ligeiramente inclinado para trás e estreitá-lo no centro, curvando o tronco para dentro a partir das costas em relação à parte superior e inferior.

Desenhar a cabeça.

Desenhar a cabeça inclinada para trás, quase a tocar nos ombros, e com o queixo a apontar para cima.

Juntar as pernas.

Desenhe as pernas como se a personagem estivesse a fazer um split, mas com a perna da frente dobrada. Em seguida, desenhe os pés dobrados para trás, como se o bailarino estivesse na ponta dos pés.

Desenhar os braços.

Neste caso, não é necessário desenhar os dois braços; basta desenhar o que fica visível ao olho do observador. Desenhe o braço esticado para trás com a palma da mão virada para cima.

Desenhar o pescoço.

Desenhar o pescoço num ângulo mais ou menos correspondente ao da parte superior do corpo. Nesta pose, o pescoço fica um pouco coberto pelos ombros.

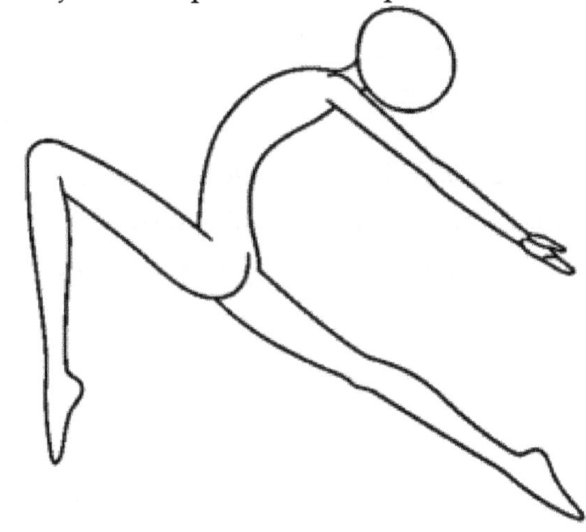

Desenhe os pormenores do peito.

O peito da personagem será distendido e esmagado pelas roupas depois de as desenhar; por isso, aconselha-se a desenhá-lo de forma bastante plana.

Exemplo de como desenhar uma pose de pugilista

Esta pose é típica para representar uma personagem a dar um murro. Esta pose é especialmente adequada se quiser desenhar uma personagem a bater no saco de boxe durante uma sessão de treino.

Comece por desenhar o tronco. Neste caso, o busto será mostrado a cerca de 3/4 da vista. Desenhe-o com uma ligeira forma de ampulheta, caraterística das personagens femininas. Também deve desenhá-lo como se estivesse inclinado para a frente para enfatizar que a personagem está a transferir o seu peso para o punho e não simplesmente a estender o braço.

Desenhar a cabeça.

Adicionar a cabeça ligeiramente inclinada para a frente e virada para baixo.

Juntar as pernas.

Desenhe as duas pernas ligeiramente dobradas, especialmente a perna da frente, e afastadas uma da outra. Aponte a perna para a frente e deite-se no chão com a perna para trás e na ponta dos pés.

Desenhar os braços.

Desenhar um braço inclinado para a frente, com a mão em punho cerrado. Desenhar o outro braço a apontar ligeiramente para trás e a mão praticamente fechada num dos lados do peito.

Adicionar o pescoço.

Desenhar o pescoço ligeiramente mais inclinado para a frente do que o corpo, com a parte da frente escondida pelo queixo.

Por fim, adicione os pormenores do peito.

Pode desenhar o peito apenas de um lado do peito para mostrar que só é visto de um ângulo. Mais uma vez, lembre-se de que será achatado mais tarde quando adicionar as roupas.

Exemplo de como desenhar uma personagem a dar um pontapé

O exemplo que estamos a tratar representa uma personagem que dá um pontapé direto para a frente como se estivesse a tentar pontapear algo.

Desenhar primeiro o tronco. Desenhe o tronco em ângulo e ligeiramente inclinado para trás. Desenhe-o mais estreito na zona central e nas costas.

Desenhar a cabeça.

Desenhe a cabeça ligeiramente inclinada para trás, mas não ao mesmo nível do tronco, uma vez que a personagem está virada para a frente e para o pé que está a dar o pontapé.

Passar ao desenho das pernas.

Desenhe a perna que dá o pontapé de saída levantada e ligeiramente dobrada, com a outra perna praticamente direita e ligeiramente inclinada. Pode desenhar o pé que dá o pontapé ligeiramente dobrado para trás, com o outro pé apoiado no chão.

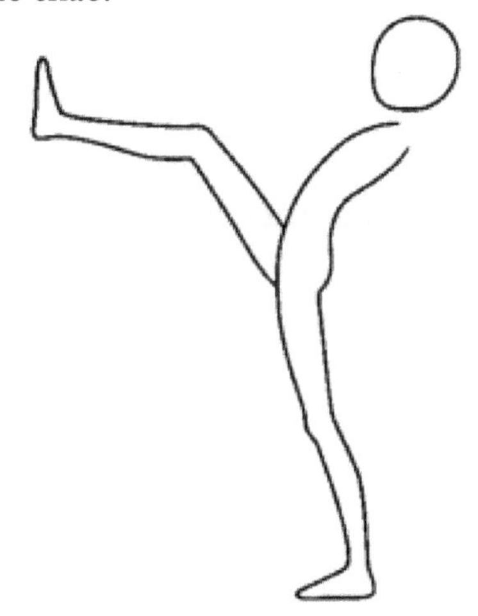

Desenhar os braços e as mãos.

Os braços, ou, como neste caso, o braço, estarão virados para trás e ligeiramente em direção ao observador. A mão estará fechada num punho.

Desenhar o pescoço.
O pescoço deve estar inclinado para trás em relação à posição do tronco.

Termine o desenho inserindo os pormenores do peito. Desenhe o peito bastante plano, uma vez que este será coberto e depois achatado pelas roupas.

Exemplo de como desenhar uma pose de impulso

Esta é uma pose leve, muito alegre e brincalhona, em que a personagem não tem qualquer atitude agressiva.

Comece, como sempre, por desenhar o tronco.

Desenhe o tronco quase horizontal em relação ao chão, com uma ligeira curva para trás. Também terá uma pequena curva que pode mostrar tornando-o mais largo em cima e mais estreito a meio, curvando-se para dentro em ambas as extremidades, mas ainda mais nas costas.

Adicionar a cabeça.

Desenhe a cabeça inclinada para trás em relação ao tronco, como se a personagem estivesse a olhar para a frente.

Desenhar as pernas.

Desenhar a perna da frente ligeiramente flectida com a perna de trás flectida e levantada do chão. O pé da perna da frente deve estar completamente apoiado no chão ou na ponta dos pés. Por outro lado, o pé da perna de trás pode ser desenhado como se estivesse relaxado.

Desenhar os braços.

Desenhe o braço na fase de impulso virado para a frente num ângulo de cerca de 45 graus e o outro braço virado para trás, praticamente na direção oposta.

Os dedos do braço aberto devem estar a apontar para a frente e o polegar para baixo. Isto criará o efeito de ter acabado de atirar algo. Nesta pose, pode desenhar os dedos com um pouco mais de pormenor, uma vez que são importantes para mostrar o efeito de lançamento.

Desenhe a outra mão num estado mais relaxado com os dedos ligeiramente dobrados.

Desenhar o pescoço.

Desenhar o pescoço praticamente em linha com a parte superior do corpo ou ligeiramente inclinado para trás.

Termine o desenho acrescentando os pormenores da arca.

Desenhar o peito ligeiramente na direção do braço utilizado para o impulso, para mostrar que o corpo é visto em ângulo.

Conclusão

Desenhar manga é uma forma divertida e criativa de se expressar. Pode ser usado como passatempo ou como forma de ganhar dinheiro. Além disso, desenhar manga é um processo gratificante, mas também pode ser um trabalho árduo. Depois de ler este guia, deve ter uma boa compreensão de como desenhar personagens de manga e desenvolver histórias.

A manga tem tudo a ver com contar histórias - as suas próprias ou as de outra pessoa - por isso deve pensar em si como um autor quando estiver a desenhar manga. Lembre-se que a história vem em primeiro lugar, por isso tenha sempre uma ideia em mente antes de iniciar qualquer projeto!

Neste guia, aprendeu as noções básicas de desenho de personagens manga e como desenvolvê-las em personalidades complexas que pode utilizar nas suas histórias. Também aprendeu a criar um fundo e a ilustrar diferentes movimentos e características para as suas personagens.

Se quer desenhar manga, tem de ser capaz de criar personagens e contar histórias com elas. Foi por isso que escrevi este guia - para o ajudar a desenvolver as suas ideias e a dar-lhes vida no papel.

Espero que este guia tenha sido útil para se tornar um artista de manga!

Continue e nunca desista, e lembre-se, a prática leva à perfeição!

Milton Keynes UK
Ingram Content Group UK Ltd.
UKHW050801041223
433752UK00015B/752